generated by Takayuki Fukatsu

generated by Takayuki Fukatsu

※クレジットが「generated by Takayuki Fukatsu」の画像は、深津貴之氏が過去に画像生成AIと関連ツールで作り込んだ作品です。そのためプロンプトは掲載していません。

generated by Takayuki Fukatsu

generated by Takayuki Fukatsu

generated by Takayuki Fukatsu

generated by Takayuki Fukatsu

generated by Takayuki Fukatsu

little boy eating a pancake, children's illustrations, watercolors, picture books, high quality, --ar 3:2
generated by QwerTy with niji・journey

girl with glasses, brown short hair, japanese anime style, super cute, pink hooded sweatshirt, high quality, --ar 3:2
generated by QwerTy with niji・journey

colorful illustration, dressed dog, pop art, fashionable
generated by urakami with DreamStudio

sticker design idea, japanese cartoon style, tokyo sightseeing
generated by QwerTy with Midjourney

app design ui, ice cream shop, vanilla ice cream, strawberry ice cream, high quality
generated by QwerTy with Midjourney

industrial product, light, homepage ui layout, high quality
generated by QwerTy with Midjourney

gorgeous white room, large windows, rugs, 2-seater sofa, concrete walls, classic style –2:3
generated by QwerTy with Midjourney

beautiful flyer design, shoe store, illustration, colorful, by Unreal Engine
generated by urakami with DALL·E 2

濃い内容がサクッと読める！

先読み！ IT×ビジネス講座

GENERATIVE AI

画像生成AI

株式会社THE GUILD 代表
深津貴之

シティライツ法律事務所 弁護士
水野 祐

聞き手：ITライター
酒井麻里子

インプレス

はじめに

こんにちは、深津貴之と申します。

この本は、画像生成AIについての解説書であり、一冊でその動向を学ぶことができます。エンジニアでなくても基本的な知識を習得できるよう、対話形式で書いています。専門用語を極力避け、わかりやすい言葉で説明するように努めました。ただし技術的な妥当性に関しては、専門家にチェックしていただきました。また法律に関する章については、専門の弁護士である水野先生にご協力いただいています。AIには法的な問題が多く存在するため、専門家による正確な解説が必要だと考えたからです。

本書では、画像生成AIの経緯や仕組み、実際の使い方や活用方法の例、法律的な解釈、社会課題などを幅広く取り上げています。本書のインタビューは2022年末のものですが、可能な限り長く有用な情報を提供できるようにまとめました（よりコアな情報は、私のnoteやtwitterを参照してください）。

AIが高速で進化する中、今まで解決できなかった課題が解決され、新しいビジネスモデルが次々と生まれてきています。Midjourneyなどの画像生成AIやChatGPTに代表される文章生成AIは、活版印刷や蒸気機関に匹敵するインパクトを持つテクノロジーです。エンジニアでない人々にとっても、AIについての知識を身につけることは、今後ますます重要になるでしょう。

AIによって、私たちの生活がより豊かになる未来を楽しみにしつつ、まずは本書を手に取って、AIを触ってみましょう。そして、あなたのビジネスにもAIを取り入れてみてください！

本書の読者が、新しいサービスやビジネスを生み出すことを楽しみにしています。

深津貴之 with ChatGPT

CONTENTS

プロローグ

「画像生成AI」がもたらすクリエイティブの変化とは!?

AIで描いた絵は、なぜここまで注目されたの？

2022年夏頃から、「AIが描いた絵」をSNSなどで見かけることが増えました。たとえばTwitterでは、「#AIart」「#AIイラスト」などのハッシュタグや画像生成AIのサービス名で検索することで、AIで生成されたさまざまな作品を見ることができます。

その背景には、MidjourneyやStable Diffusion、DALL·E 2といった画像生成AIのサービスが一般に公開され、誰もが気軽にAIでクオリティの高い画像を作れるようになったことがあります。

2人の専門家にお話をうかがいました！

本書では、インタラクションデザイナーの深津貴之さんと、弁護士の水野祐さんに、そんな画像生成AIを活用していくために必要なことをうかがいました。

スマホアプリのUI設計などに携わったのち、現在は企業のCXOなどを務める深津さん。画像生成AIが本格的に話題になる以前からその可能性に注目し、SNSなどでさまざまな情報発信や作例の紹介をされています。本書では、画像生成AIがブームとなった背景や画像生成のコツ、ビジネス活用の可能性や今後どう発展していくかなどを幅広くお聞きしています。

AIに関する法律問題への造詣が深く、Creative Commons Japan理事やArts and Law理事も務める水野さんには、画像生成AIに関する法律や利用ルールに関する問題について教えていただきました。画像生成AIは新しいものだけに、まだルールが固まっていない部分も多く、現時点では明確な答えを出せない問題も多いといいます。そんなツールとどう向き合っていけばよいかについてもお聞きしました。

画像生成AIをうまく使いこなすには？

画像生成AIでは、「プロンプト」と呼ばれるテキストを入力することで、生成する画像の内容を指定します。このプロンプトをいかに上手にコントロールするかが、生成結果を大きく左右します。慣れないうちは思い通りの絵が作れないことも多いかもしれません。コツを覚え、試行錯誤を繰り返すことで、理想の絵に近づけることができるはずです。

「絵を描くのが苦手」「自分には絵心がない」と思っていた人にとって、頭の中でイメージしていたものを、しっかりアウトプットできるようになることは、ワクワクする体験となるはずです。難しく考えず、まずは実際に体験してみることをおすすめします。

高い期待が寄せられる一方で、画像生成AIに対して批判的な声があることも事実です。これまで自分の手で作品を作り出してきたクリエイターやアーティストと、画像生成AIの利用者、サービスを提供する側のいずれもが納得できる形として環境が整っていくまでには、少し時間が必要かもしれません。それでも、人が持つ能力を大きく広げてくれる可能性を持っていることは間違いありません。

そんな画像生成AIの現状を理解したうえで、ビジネスを含めた活用方法や使用時の注意点を知り、使いこなせるようになることがこの本の目標です。私達の表現力をワンランク上げてくれる画像生成AIについてしっかりと学んでいきたいと思います！

登場人物

聞き手
ITライター
酒井麻里子

株式会社THE GUILD
代表
深津貴之さん
（第1章、第2章、第3章、第5章）

シティライツ法律事務所
弁護士
水野 祐さん
（第4章）

Chapter

1

注目が集まる「画像生成AI」の世界

画像生成AIって
どんなサービス？

自由に使えるサービスの登場でブームに

2022年半ばから一気に注目を集めるようになった画像生成AI。「どんな絵を描きたいか」を文章（テキスト）で入力するだけで、AIがすぐに画像を作ってくれる魔法のような仕組みは、「AIでここまで描けるのか！」と話題を呼びました。ブームのきっかけとなっているのは、2022年7月にMidjourney（ミッドジャーニー）が、そして同年8月にStable Diffusion（ステーブルディフュージョン）が公開されたことでしょう。

それ以前にも画像生成AIのデモが公開されたり、一部のユーザーに限定的に提供されたりするケースはありましたが、誰もが自由に使える形にはなっていませんでした。一般ユーザーが手軽に使える存在となったことで、画像生成AIで作られた画像がインターネット上で多数共有されるようになったのです。

なかでもStable Diffusionは自社のAIのモデルを公開し、さらに改造して新たなモデルや独自のサービスを作ることを許可しており、これまでブラックボックスになりがちだったAIサービスのオープン化という面で、アプリケーション制作者側にも大きな変革をもたらしました。

テキストだけで画像が生成できるという手軽さから、絵を描くことが苦手な人はもちろん、普段から自身で絵を描いている人、3DCGやゲームの制作者など多くのクリエイターからも実用的なツールとしての期待が集まっています。

1-0-1 画像生成AIサービスのひとつ「DreamStudio」の画面。プロンプトと呼ばれるテキストを入力すると画像が生成される

コツをつかめば理想の画像を作り出せる

画像生成AIでは、「プロンプト」と呼ばれるテキストで生成する画像の内容を指定します。思いどおりの画像を生成するには少しテクニックが必要となり、また、MidjourneyやStable Diffusionなど海外発のサービスの場合は英語でプロンプトを書く必要がありますが、コツをつかめば翻訳ツールを使って日本語を英語に訳しながらでも、理想の画像を作り出すことは可能です。

本章では、画像生成AIが注目を集めるようになるまでの流れや、その背景、どんなユーザーに注目されているかといった部分に加え、画像生成AIがテキストから絵を作り出す技術的な仕組みにも踏み込みます。さらに、主要な画像生成AIサービスの特徴や提供方法、利用料金などもまとめて紹介しています。

Chapter1

1 なぜ今、画像生成AIが注目されているの?

画像生成AIが現在のような大きなブームとなるまでには、どんな経緯があったのでしょうか? そして、今なぜここまで大きく注目されているのでしょう。これまでの流れを深津さんにお聞きしました。

画像生成AIはどう発展してきた?

まず、そもそもの部分をお聞きしたいのですが、なぜここまで**画像生成AI**が話題になっているんですか?

これまでは、クオリティの高い絵を描くには当然、技術やセンスが求められました。制作のためにグラフィックアプリなどのツールを揃える必要もあるなど、手間とコストがかかる作業でしたよね。それをプログラミングの知識など必要なく、私たちが**日常で使う言葉を入力するだけで生成できる**ようになった、しかも**クオリティも非常に高い**という点が注目されている理由です。

絵を描くには技術が必要で、自分で描けないならお金を払ってプロに描いてもらう必要があるし、そのためにはコストがかかるというのは当たり前の感覚ですよね。

そうですね。今までグラフィックの作成は非常に参入障壁の高い分野だったのですが、画像生成AIによって創作の世界が大きく変革を迎えようとしています。

なるほど。でも、おそらく今の技術がいきなり出てきたわけではないと思います。**これまでの進化の流れ**を教えてください。

画像AIが世の中の注目を浴びたのは、**Nvidiaが開発した「StyleGAN」が登場した頃**でしょうか。実在しない人物の顔などを高精度で生成できることから2019年頃から話題になっていましたが、そのときはまだ、この技術で世の中が大きく動くという感じではなかったですね。

Nvidia（エヌビディア）は、コンピューターの画像処理を担うGPU（Graphics Processing Unit）などの開発を手がけるメーカー。AI開発には、処理能力の高い同社のGPUが活用されることも多い。

StyleGAN（スタイルギャン）は2018年末にNvidiaが発表した画像生成モデル。実在しない人物の顔の画像を本物の写真と見分けがつかないクオリティで生成できることから、エンジニアなどの間で話題となった。

高精度な画像を作り出すAIは数年前から存在していたんですね。今の流れにつながる技術はいつ頃出てきたのでしょうか？

非AI業界に驚きをもって迎えられたのは、AIの研究組織である**OpenAIが2021年1月にDALL·E（ダリ）を、2022年4月にDALL·E 2（ダリ・ツー）を発表した**あたりからでしょう。現在注目されている「テキストで内容を指定して、思い通りの画像を生成するAI」の源流となっているもので、デモが公開されたときには「AIでここまでできるようになったのか！」と大きな反響を呼びました。

1-1-1 DALL·E 2は、アメリカのAI研究組織OpenAIが発表。当初は一般公開されていなかったが、現在は誰でも利用可能 https://openai.com/dall-e-2/

2022年の4月ということは、世の中で大きな話題になる少し前の時期ですね。この時点ですぐにブームが起きなかったのはなぜですか？

当初は一部のユーザーにβ版を提供するだけにとどまり、誰もが使える状態での公開はしていなかったんです。

せっかくの新技術なのにもったいない！ どうしてですか？

作られる画像の精度の高さから、実在の著名人に似せた画像を生成してフェイクニュースに使用したり、偽のポルノが作られたりといった悪用の可能性があり**「世の中に与える影響が大きすぎる」**というのがその理由です。

その話だけで、いかにすごいAIかということが伝わってきます。

さらに、同じ年の5月にはGoogleも「Imagen（イマジェン）」という画像生成AIを発表しましたが、こちらも影響を考慮して世の中には出されませんでした。

何だかもどかしいですね。でも、それだけ**慎重に使うべきものとしてとらえていた**ということですね。

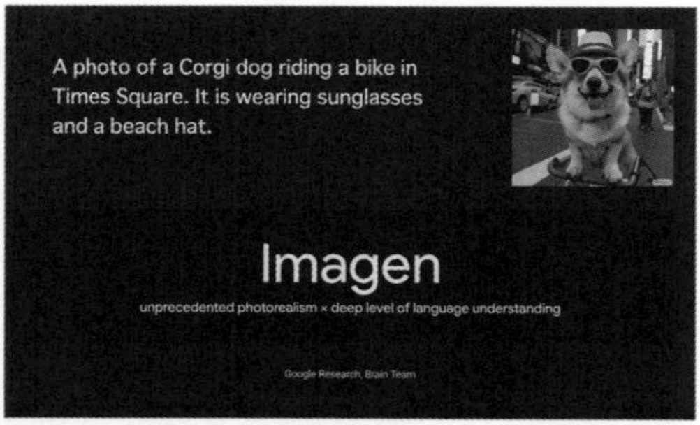

1-1-2 Googleが開発した「Imagen」はサービスとしては一般公開されず、技術の紹介だけにとどまっている（2023年2月現在） https://imagen.research.google/

そうですね。AIを使って高精度な画像を生成する技術の下地は、すでに揃いつつあったのですが、ビッグテック、ビッグベンチャーは先ほどお話ししたような悪用などのリスクを考えて出すことができないという状況だったんです。

画像生成AIの夜明け前という感じですね。そこから今のブームが起きるまでに何があったのでしょう？

このもどかしい状況に一石を投じたのが、**MidjourneyとStable Diffusionという2つの画像生成AI**です。

どちらもSNSなどで生成した画像が共有されているのをよく見かけますね。

まず、2022年の7月にMidjourneyのオープンβ版が公開され、8月には、Stability AIという企業がStable Diffusionをリリースしたことで、一気に注目を集めるようになりました。

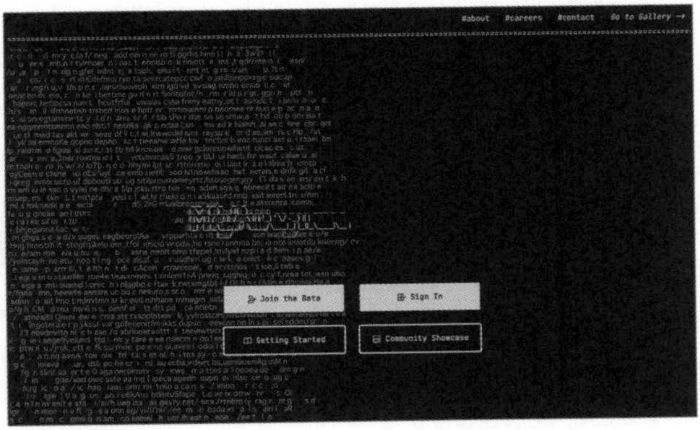

1-1-3 Midjourneyは、チャットツールのDiscord上でサービスを提供
https://www.midjourney.com/home/

DALL·E 2は当初は一部の人だけに提供されていたとのことでしたが、これらの画像生成AIは、**一般ユーザーが自由に使えるものとして公開された**ということですよね？

その通りです。しかも、利用するのにプログラミングなどの知識は必要なく、作りたい画像の内容を自然言語、つまり**私たちが普段使っている言葉で指定するだけで画像が生成できる**手軽さと面白さから爆発的に広がりました。

いろいろな人が自分も触ってみよう、活用してみようと動き始めて一気に花開いたという感じですね。

1-1-4　Stable Diffusionは、一定の知識があればPCにダウンロードして使うことも可能。Hugging Faceなどのサイトからブラウザ版も試せる　https://huggingface.co/spaces/stabilityai/stable-diffusion

さらにすごいことに、Stable Diffusionを作っているStability AIは、これまでビッグテックが封印していたソフトウェアの設計図にあたる**ソースコードに加え、AIが画像を学習するときに使った情報であるデータセットをすべて公開**しているんです。改造も可能なので、ほかの企業がStable Diffusionをベースにして自社独自の画像生成AIのサービスを作ることもできます。

改造までOKとは大盤振る舞いですね！　ちなみに、これまでほかの会社ではリスクがあるからと世の中に出さないでいたものを、Stability AIはすべて公開してしまったということですが、それはどうしてなんでしょう？

Stability AIは、オープンソース（134ページ参照）にコミットすることをミッションにしている企業なんです。「すごいAIを、一部の大企業や個人が独占するのは健全ではない」「AIは全世界の人が平等に使えるようになるべきだ」という考え方ですね。

最先端のAIをみんなのものにしたいという思いからなんですね。

ちなみにOpenAIのDALL·E 2も、その後一般ユーザー向けにサービスを公開しました。また、開発者向けのAPIも提供されています。

それまでは技術的に存在していても一般の人には手の届かない存在だった画像生成AIが、誰もが手軽に使えるツールになったことで世の中に広まり、盛り上がりを見せているのが今の状況ということですね。

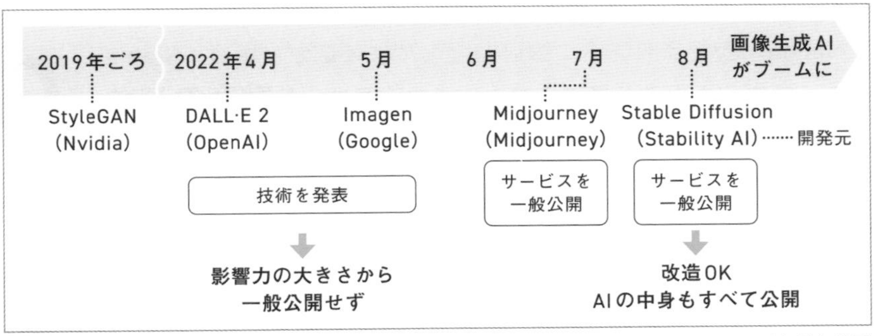

1-1-5 誰もが自由に使えるサービスが登場し、さらにStable Diffusionがソースコードなども公開したことで一気にブームとなった

データセットとは、AIの学習行為に使われるデータの集合体のこと。Stable Diffusionで使われる「LAION-5B」には、58億枚以上の画像が収録されている。

APIは「Application Programming Interface」の略語で、ソフトウェア同士の情報をやりとりする窓口のようなもの。APIでソフトウェア同士が連携することで、双方の開発がより容易になる。

Chapter1
2 画像生成AIは、どんなところから広がった？

前項では、画像生成AIが誰もが手軽に使える形で世の中に出るまでの話をうかがいました。そこからどんな人が注目し、どんなふうに広まっていったのでしょう？ ブームの背景を知っておきましょう。

絵を描く人、必要としている人の間で広がる

画像生成AIが一般の人の手に届くようになったあとは、どんなふうに広がっていったんでしょうか？

Midjourneyがイラストに強いAIとしてまず広がり始め、Stable Diffusionが出たところでイラスト以外の画像生成の**精度の高さも話題**となっていきました。

いち早く試した人がSNSなどで「こんな絵が描けた！すごいよ！」と投稿して、それが拡散されていく流れですね。

それに加えて、**Stable Diffusionはダウンロードして自分のPCで動かしたり、改造したりできる**こともあって大きく注目されるようになっていきました。

するとやはり、MidjourneyとStable Diffusionから広がっていったということですか？

そうですね。それと並行して、日本では**Novel AIも注目**を集めました。こちらは**漫画やアニメ風の画像に特化**していることが特徴です。

1-2-1 Midjourneyで生成した画像。イラストに強い傾向があり、サービス公開直後から大きな話題を呼んだ

1-2-2 Stable DiffusionのWeb版サービスであるDreamStudioで生成した画像。写真のようなリアルな表現も可能で、汎用性の高さが注目された

最初の段階で画像生成AIに注目していたのは、**自分で絵を描いている人**ですか？ それとも**自分では描けない人が自分の代わりに絵を描いてくれるものとして目を付けた**感じでしょうか？

まずはAIやコンピューターアートに関わりのある人、そして、絵が好きだけれど自分では描けない人ですね。あとは、3DCGやゲームの制作者など、絵を必要とする他職種のクリエイターからも注目されました。

これまではできる人が限られていた**「絵を描く」というクリエイティブな作業を、誰もが手軽に挑戦できるものにした変革の始まり**という感じがします。

Chapter1 3

画像生成AIはどうやって使うの？

現在主流となっている画像生成AIでは、入力したテキストから画像を作り出すのが基本です。このテキストをどう入力するかによって結果が変化します。まずは一般的な生成までの流れを把握しておきましょう。

「プロンプト」という“呪文”で画像を生成

画像生成AIでは、テキストから自由に絵を作り出せるとのことですが、まずは**基本的な画像生成の流れ**について教えてください。

細かい部分はサービスによって異なりますが、DALL·E 2やMidjourney、Stable Diffusionはいずれも**「プロンプト」と呼ばれる絵の方向性を定めるテキストから画像を生成**します。どんな絵を作りたいかを指定する指示文章です。ユーザーからは通称**「呪文」**と呼ばれています。

呪文というと、なにか特殊なルールを覚えないとダメということでしょうか？ 単純に作りたいものをそのまま文章で打ち込むだけではダメですか？

英語で提供されているサービスについては、英語でプロンプトを書く必要はありますが、深く考えずに作りたいものを文章にするだけでも何かしらの絵は生成されます。体感的にはこれだけでも**6割から7割くらいの完成度**にはなっていると思いますよ。

まずは思いついた文章で試してみるのもよさそうですね。より正確な絵を作りたいときは、どうしたらいいんでしょう？

経験則としては、文章の手前に書くものほど影響力が強くなる傾向があります。なので、まずは「水彩画」「油絵」のような**全体像を指定して、そのあとに絵の主題、続いて主題を補足するものや、画風を指定する言葉を入れる**のがおすすめです。

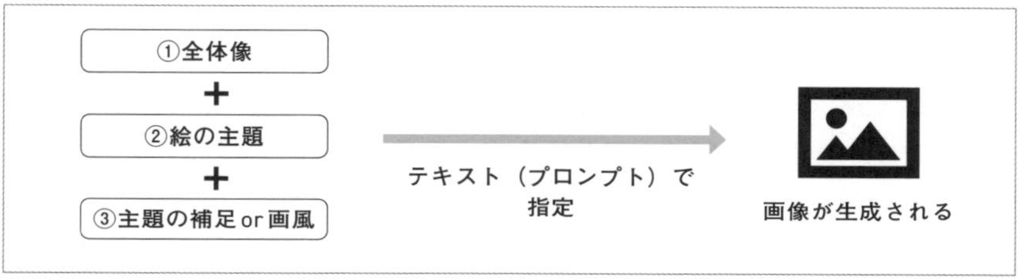

1-3-1 生成したい画像の全体のフォーマットや描きたいものの主題、補足事項や画風などをプロンプトと呼ばれるテキストで指定する

意外と複雑そうですね。しかも、これを英語で書かないといけないということですよね？

コツさえつかめばそんなに難しいことはありませんよ。ちなみに、これに加えて**「魔法の言葉」**を加えることで、よりイメージ通りの絵を作るテクニックもあります。

魔法ですか⁉ そんなすごいコツがあるんですか？

画像生成AIは画像とテキストをペアで学習しています。このため**「きれいな画像に付いていそうな言葉」を追加すると精度が上がる**傾向があるんです。たとえば、美術館に収蔵されている絵のような雰囲気にしたければ、「○○美術館収蔵」のような言葉を追加します。

それはおもしろいですね！ 意外と難しくなさそうだということがわかりました。あとでプロンプトの作り方など、具体的な生成方法も教えてください（第2章で解説）。

Chapter1

4 画像生成AIを使うのに英語力は必須？

英語で提供されているサービスでは、プロンプトも英語で書く必要があります。ただし、翻訳ツールをうまく活用すれば日本語からでも思い通りの画像を作り出すことは可能です。

英語に自信がない人でもプロンプトは書ける？

日本語化されてないサービスの場合、英語でプロンプトを入れることになると思いますが、**英語力に自信がない人が使うにはどうしたらいい**のでしょう？

現在主流となっている画像生成AIは基本的に英語でトレーニングされているので、最初から英語でプロンプトを書ければ一番理想的です。でも、今はGoogle翻訳やDeepL翻訳といった、**オンラインで無料で使える高性能な翻訳ツールもある**ので、それらを活用すれば英語が苦手でも十分使いこなすことはできますよ。

単純に日本語の文章を翻訳したものを貼り付けるだけで大丈夫ということですか？

それでもある程度のクオリティにはなりますが、より思い通りの画像を作りたいなら、前の項でお話ししたようにどんな画材を使った絵なのか、どんな画風なのかといったところまで指定する必要があります。なので、日本語から英語にツールを使って翻訳したあとに、それを少し編集できるほうが望ましいですね。

すると、「猫が踊っている」絵を描きたい場合、「cat dances」では十分ではないということですね。

最初に絵の全体像として、油絵にするなら「high quality oil painting」（高品質な油絵）などと入れ、さらにどんな画風かを決めるために、たとえばダ・ヴィンチ風にするなら「by da vinci」（ダ・ヴィンチの）のように画家の名前などを後ろに入れるといいですね。

なるほど。仮に油絵を英語で何というか知らなかったり、ダ・ヴィンチのスペルがわからなかったりしたとしても、それぞれツールで翻訳して加えていけば完成しますね。ちなみに、普通の猫ではなく、妖怪の猫又が踊っているような絵も作ることはできますか？

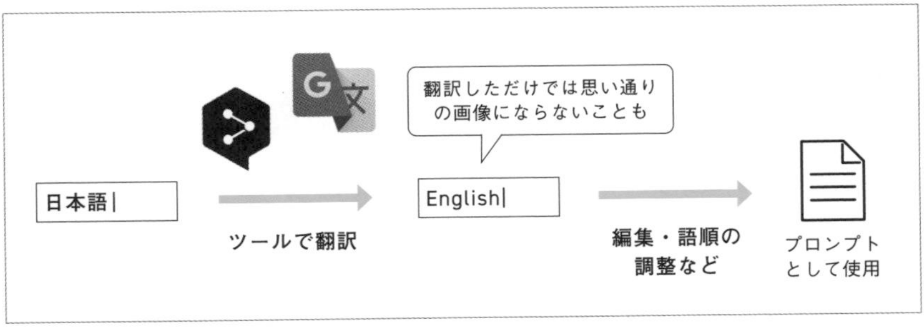

1-4-1 英語に自信がない場合、ツールを使って日本語を英語に翻訳し、それを編集してプロンプトを作ればよい

うーん。欧米で作られて英語で学習しているAIなので、日本の文化に依存するものは結構難しいんですが、挑戦するなら「尾が2本の猫」「日本の妖怪の猫」「浮世絵のスタイル」などで試しながら試行錯誤するのがよさそうです。

なるほど。**AIがどこから学習しているかも影響する**んですね。ともあれ、英語が苦手でも翻訳ツールをうまく活用すればプロンプトを作成できると聞いて安心しました。

Chapter1
5 画像生成AI周りには、どんなプレイヤーがいる？

各サービスへの理解を深めるためにも、業界の構造やどんなプレイヤーがいるのかを把握しておきましょう。画像生成AIに関連する企業やサービスを、ここでは大きく2つに分けて紹介します。

オープン派とクローズ派に大別できる

画像生成AIのすごさが見えてきたところで、**業界全体の構造や、どんなプレイヤーがいるのか**といった部分についても知りたいです。

すごく大雑把に分類すると、**オープン派**と**クローズ派**に分けることができると思います。まずオープン派は、ソースコードやデータセットをすべて公開して、誰でも自由に使えるようにしているStable Diffusionですね。

Stable Diffusionは、すべてをオープンにすることで、AIを誰もが平等に使えるようになることをミッションにしているということでしたね。クローズ派というのは、中身のデータを公開していないものということですか？

そうですね。**AIの中身がブラックボックスになっているものをここではクローズ派として分類**しています。DALL·E 2や、サービスとしては提供されていませんがImagenなどがこれにあたります。

AIを開発するプレイヤーの中にAIの技術などを公開している企業とそうでない企業がいて、公開された技術を用いて派生サービスを開発する企業も存在するわけですね。

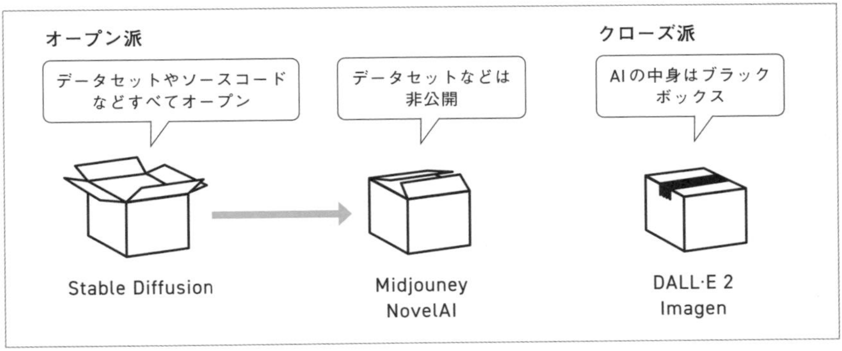

1-5-1 AIの中身をすべて公開しているオープン派と、中がブラックボックスのクローズ派、その中間に位置するものに大別できる

ちなみに、画像生成AIにプロンプトを打ち込んで絵を生成するスキルを持った人が**プロンプター**と呼ばれることもあるようですが、これはもともとどんな職種の人たちなのでしょう？

エンジニアもいればアーティストもいると思います。英語の文章が得意だからプロンプターをしているという人もいるでしょう。

プロンプターという立ち位置も、今後業界のプレイヤーとして定着していきますか？

個人的には、特殊なプロンプトが求められたり、高度なプロンプト操作技術が必要だったりするのは過渡期である今だけではないかと思っています。実際にプロンプトと画像から新たな画像を生成する機能（img2img）なども登場しています。プロンプトのみで画像を生成するよりもハードルは下がっていますよね。

AIそのものを作っている企業、それを使ったサービスを作って提供している企業といった現在のプレイヤーに加えて、進化を続ける画像生成AIを使ってクリエイティブな活動をする人もこれから増えていきそうですね。

Chapter1

6 画像生成AIが絵を作り出す技術的な仕組みは?

画像生成AIは、どうやってテキストから画像を作り出しているのでしょうか? 画像生成AIで使われている技術的な仕組みである「拡散モデル」について、ざっくりと理解しておきましょう。

「拡散モデル」と呼ばれるAIを使用

ところで、画像生成AIは**どうやって言葉だけで絵を作り出しているんですか?** 簡単に仕組みを教えてください!

Stable DiffusionやMidjourney、DALL·E 2をはじめ、現在の画像生成AIのメインプレイヤーはいずれも、**「拡散モデル(ディフュージョンモデル)」**と呼ばれるAIのモデルをベースにしています。

AIのモデルとは、AIの学習の仕組みのようなものでしょうか?

その通りです。そして拡散モデルAIの性能の高さの裏には、**「ディフュージョン」と「クリップ」**という2つの重要な技術があります。

1つの技術だけで成立しているわけではないんですね。ディフュージョンというのは、どんな技術ですか?

これは画像を作るAIというよりは、**ノイズの入ったぼんやりした画像からノイズを消して、クリアな画像を作るAI**なんです。

ノイズを消すAIが、画像生成に使われるということですか? どういうことでしょう?

まずディフュージョンモデルのAIに、ノイズのないきれいな画像にノイズをかけるとどうなるかを予測させるトレーニングをします。

「きれいな猫の画像にノイズをかけて、ぼんやりさせるとどんな画像になるか？」ということですね。

続いて、そのノイズがかかった画像にさらにノイズをかけるとどうなるかを予測させます。これを繰り返して、どんどん先を予測させていきます。このトレーニングをいろいろな画像で行うんです。

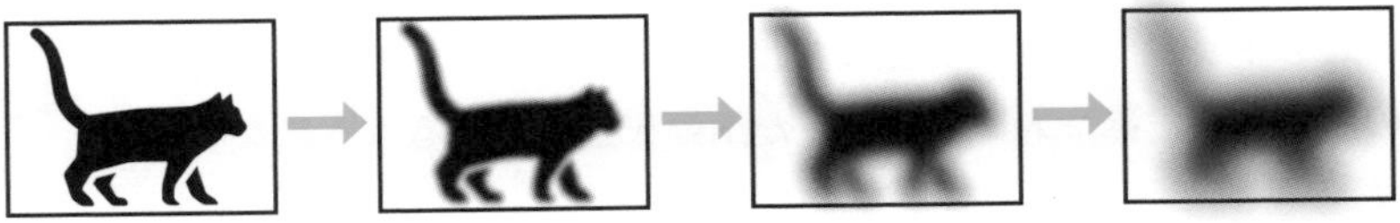

1-6-1 画像にノイズをかけた状態をAIに予測させるトレーニングを繰り返し行う。最終的には完全なノイズになる

繰り返しノイズをかけたら、ノイズだらけでもとの画像がわからないくらいの状態になりますよね？ そんなものを学習させて、一体どうするんでしょうか？

そうやってトレーニングをしたAIに、次は逆の予測をさせるんです。**「この絵からノイズをちょっと除去したらどうなるか？」を予測させる**。すると、何度もノイズをかけてもとの絵がわからない状態になった画像からきれいな画像を予測できるようになります。

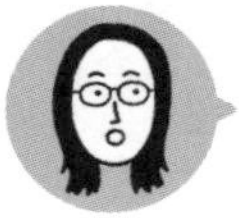

「画像にノイズをかけるとどうなるか」を学習した後に、「ノイズをかけた画像がもとはどんな画像だったのか」を予測するということですね。算数でいったら穴埋め計算、逆算のようなイメージですか？

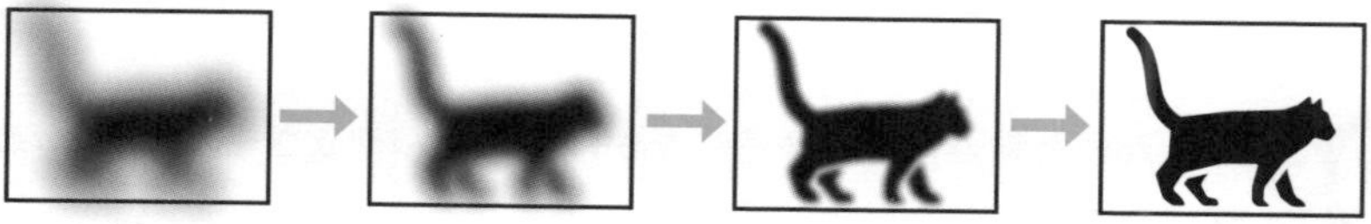

1-6-2 画像にノイズをかけた状態を予測させる学習の後、ノイズからもとの画像を予測させることでノイズから画像を復元できるようになる

やっていることを大まかにとらえるとしたら、そんな感じですね。このトレーニングを究極まで重ねると、**100%ノイズという状態の画像から、猫や人、家といった画像を生み出せる**ようになるんです。

「画像とテキストの距離」を判断

もうひとつの「クリップ」という技術はどんなものなのですか？

これは画像と**テキストの関係性を判断するAI技術**です。ある画像とテキストが、どのくらい近いか、あるいは離れているかを計算してくれるというイメージですね。

画像とテキストの距離ですか……？ たとえば、猫の画像と「猫」というテキストがあったらどうなりますか？

猫の絵と「猫」というテキストなら“距離0”のような判断を行います。

なるほど。では、猫の画像に対して、テキストが「犬」や「自動車」だった場合はどうでしょう？

猫の絵と「犬」というテキストなら少し離れて“距離1”、「自動車」というテキストならさらに離れて“距離10”という感じで判断していきます。

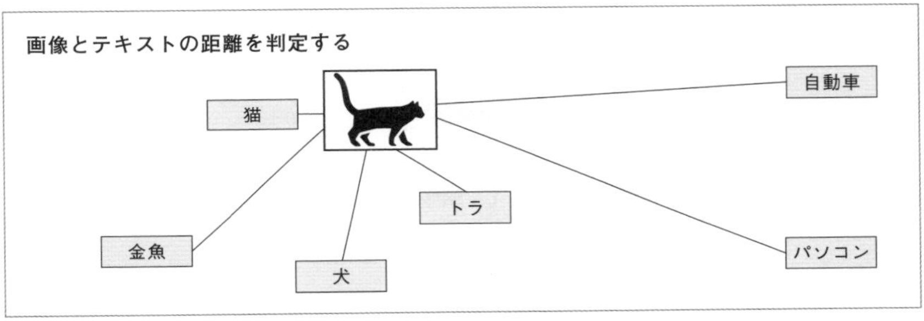

1-6-3 「クリップ」で、テキストと画像がどのくらい近いのか、あるいは離れているのかを測る

その画像が、テキストと同じといえるものなのか、それともまったく違うのか、「近いけど惜しい」レベルなのかをAIが判断できるようになるということですね。

「スイカ割り」のように画像を生成していく

「ノイズから画像を作り出すAI」と、「画像とテキストの距離を判断するAI」があることはわかりましたが、これをどう画像生成に使うのですか？ まだちょっとイメージがわきません。

ものすごく簡単にいうと、まずノイズがあり、そこにユーザーが「猫」というテキストを指定します。すると、そのノイズを復元して、もっとも「猫」に近くなるノイズを作ります。それをさらに復元して、より「猫っぽいノイズ」を作る……これを繰り返すことで、だんだんノイズが除去されてクリアな画像ができあがるという仕組みです。

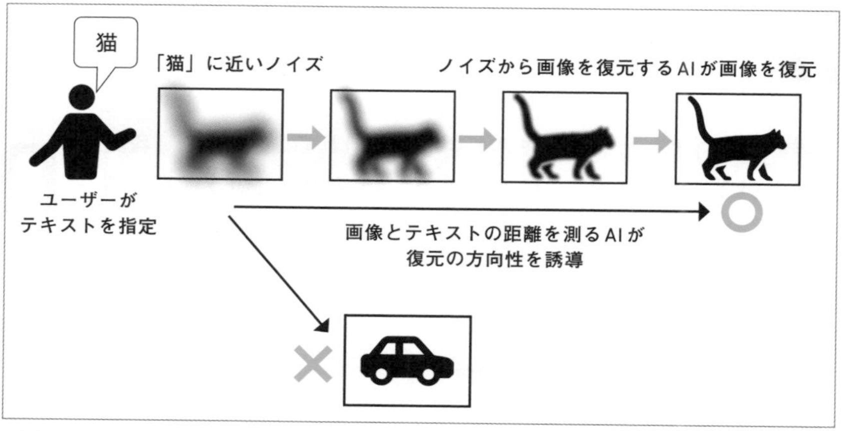
猫
「猫」に近いノイズ
ノイズから画像を復元するAIが画像を復元
ユーザーが
テキストを指定
画像とテキストの距離を測るAIが
復元の方向性を誘導

1-6-4 ユーザーが指定したテキストに対して、画像とテキストの距離を測るAIが誘導しながら、ノイズから画像を復元するAIが画像を生成

2つのAIが協力しあって、テキストから画像を作りあげているような感じですか？

その通りです。**画像とテキストの距離を判断するAI が正しい方向に誘導する、そして画像を復元するAIが誘導されたように画像を作る**、というのは、目隠しした人を正しい方向に導くスイカ割りのイメージに近いかもしれませんね。

処理を軽くするための仕組みも

ここまでの話を聞くと、けっこう複雑なことをしている印象ですが、Midjourneyなどの画像生成AIで実際に画像が生成されるまでの時間はあまりかかりませんよね。何か仕掛けがあるんですか？

厳密にいうと、ここまでに説明した技術に加えて、対象の画像を小さくしたうえで処理を行う**「VAE」と呼ばれる技術**が使われているんです。

画像を小さくして、処理を軽くするということですか？

そうですね。画像のサイズが大きいと計算処理を行うのが大変なので、**潜在空間と呼ばれる画像が圧縮された空間を作り、そちら側で計算をしてから普通の画像に復元**しています。数字の桁数が多い計算をするときに、一度桁数を削って計算してあとから桁数を戻す方法がありますね。そんなイメージです。

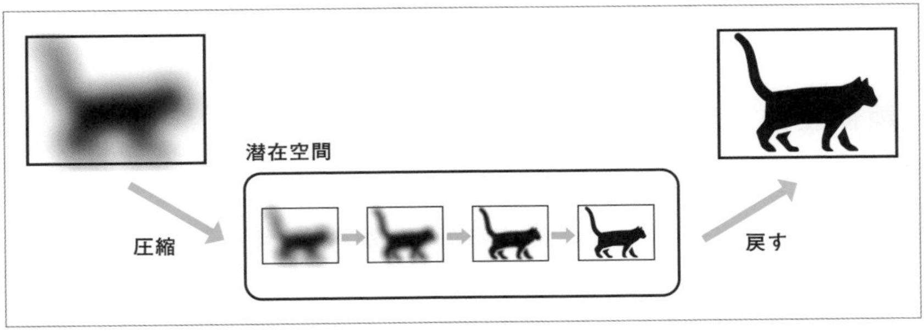

1-6-5 サイズの大きな画像の状態で処理を行うと時間がかかるため、一度圧縮してから画像復元を行い、その後元のサイズに戻す

なんだか難しいですね……。でも、このプロセスがあることで画像生成を行いやすくしているということなんですね。

この部分は参考程度に理解しておけば大丈夫ですよ。メインは最初にお話した2つの仕組みの組み合わせになります。

ノイズを取り除くAIと、画像とテキストの距離を測るAIが協力しあって、入力されたテキストに近い画像を作る。そこには処理を軽くするための仕組みも使われているということですね。なんとなく仕組みをイメージすることができました。

Chapter1

7 画像生成AIサービス8選

一般ユーザーが利用できる画像生成AIサービスにも、さまざまなものが存在します。ここでは、8つのサービスをピックアップして、特徴や提供方法、料金体系などをご紹介します（いずれも2023年2月時点の情報）。

画像生成AIはどう使い分ける？

画像生成AIのサービスにもいろいろなものが出てきているようです。どのサービスを選ぶのがいいのでしょうか？

サービスごとに生成される画像に特徴があるので、作りたいものに合わせて選ぶといいですよ。汎用性の高い画像が生成できるものもあれば、欧米で好まれるようなテイストの画像が得意なもの、日本の漫画やアニメのような絵に特化したものなどもあります。

どんな画像を生成したいかに合わせて選ぶのがよさそうですね。利用にお金がかるサービスもあるんでしょうか？

完全に無料で使えるものもあれば、一定枚数までは無料で、それを超えると有料となるサービスもあります。**気になるサービスは、まず無料範囲で試してみるのがいい**かもしれませんね。

そのほかにはどんな違いがありますか？

サービスの提供方法も、ブラウザ上で利用できるものやチャットツール内で展開されているもの、PCにダウンロードして使うもの、スマホアプリとして提供されているものなどさまざまです。

DALL·E 2

テキストの理解力が高く、精度の高い画像を生成できる汎用性の高い画像生成AI。生成された画像の一部を消去したり、生成した絵に描かれていない部分を追加したりすることも可能。

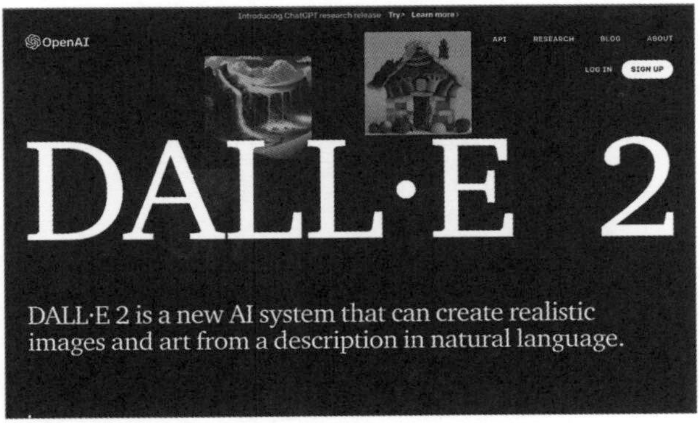

1-7-1 提供元：OpenAI 提供方法：Webサイト
料金：初月50クレジット、以降月15クレジットを無料付与、追加購入は115クレジット・15ドル（1クレジットで1枚の画像を生成）

Midjourney

チャットツールの「Discord」上で展開されているサービス。公式サイトから同サービスのDiscordに参加すると利用できる。欧米のゲームやアート、ポスター風の画像に強い。（第2章で詳しい使い方を解説）

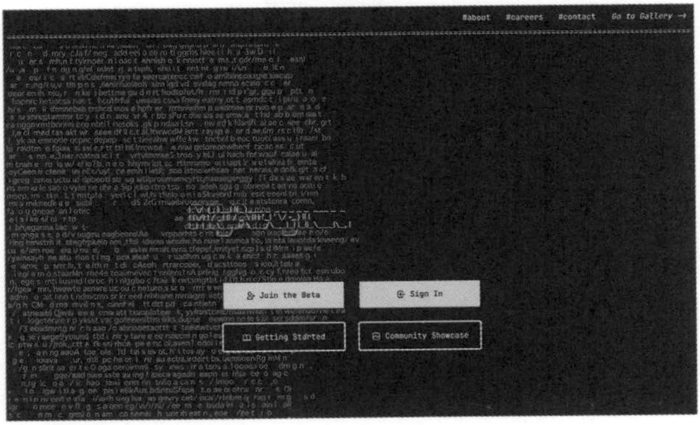

1-7-2 提供元：Midjourney 提供方法：Discord
料金：25枚まで無料、有料プラン10ドル／月～

Stable Diffusion

プログラミング（Python）の知識があり、Windows PCのスペックが要件を満たしていれば、PCにインストールして利用できる。汎用性の高い画像を生成できる。現在公開されているサービスの中でも特に高性能なサービスで、写実的な表現を得意とする。

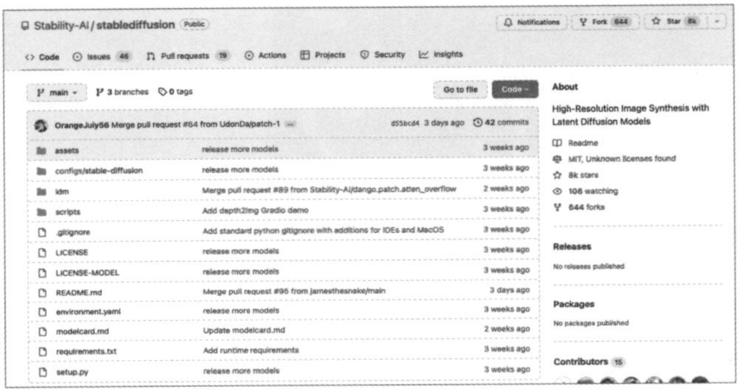

1-7-3　提供元：Stability AI　提供方法：ダウンロード
料金：無料

DreamStudio

Stable DiffusionのWebサービス版。ブラウザからサイトにアクセスし、会員登録すればすぐに利用できる。手軽にStable Diffusionの性能を試したい人はこちらがおすすめ。

1-7-4　提供元：Stability AI　提供方法：Webサイト
料金：登録時に100クレジット、追加購入は1000クレジット／10ドル（標準設定では0.2クレジットで1枚の画像を生成）

にじジャーニー

Midjourneyをベースにしたサービス。日本の漫画やアニメ、ゲームなど、いわゆる「二次元イラスト」の表現に特化した絵を生成できる。現在はβ版を公開中（2023年2月時点）。

1-7-5　提供元：Midjourney／Spellbrush　提供方法：Discord
料金：無料（クローズドβ版）

NovelAI

小説を作るAIサービスから派生した画像生成AIで、日本の漫画やアニメの表現を得意とする。無料プランは小説生成の機能のみとなるため、画像生成には有料プランへの加入が必要。

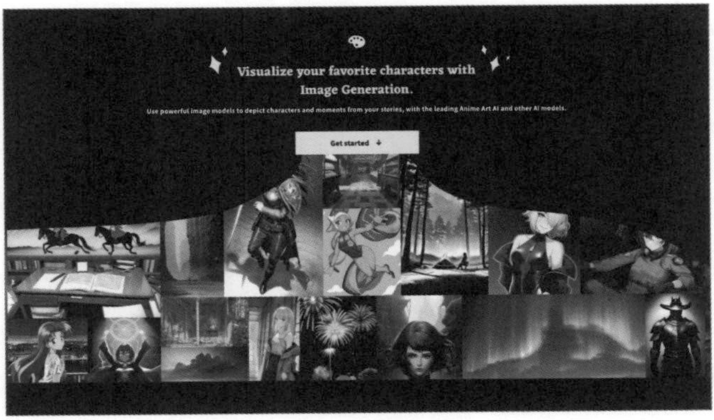

1-7-6　提供元：Anlatan　提供方法：Webサイト
料金：10ドル／月～

お絵描きばりぐっどくん

Stable Diffusionをベースに作られたサービスで、日本語でも利用可能。LINEアカウントと友だちになり、生成したい画像の内容をメッセージで送ると、画像が送り返されてくる。

1-7-7 提供元：西海クリエイティブカンパニー
提供方法：LINE
料金：1日3枚無料、550円／月

AI Picasso

こちらもStable Diffusionをベースにしたサービス。日本語で入力したテキストから画像を生成できる。生成画像のスタイルを選択したり、参考となるラフ画を追加したりすることも可能。

1-7-8 提供元：AI Picasso Inc.
提供方法：スマホアプリ
料金：無料は広告あり、有料プラン600円／週

サービス名	提供元	提供方法	無料利用	有料プラン
DALL·E 2	OpenAI	Web	初月50枚、以降15枚／月	115枚・15ドル
Midjourney	Midjourney	Discord	25枚	10ドル／月〜
Stable Diffusion	Stability AI	ダウンロード	完全無料	—
DreamStudio	Stability AI	Web	500枚	5000枚・10ドル
にじジャーニー	Midjourney・Spellbrush	Discord	25枚	10ドル／月〜
NovelAI	Anlatan	Web	—	10ドル／月〜
お絵描きばりぐっどくん	西海クリエイティブカンパニー	LINE	1日3枚無料	550円／月
AI Picasso	AI Picasso Inc.	スマホアプリ	無制限（広告あり）	600円／週

1-7-9 それぞれのサービスの特徴や条件一覧（2023年2月時点の情報）。このほかに、商用利用する場合は各サービスの利用規約も確認しておこう（第4章参照）

たくさんの種類のサービスがあるんですね。いろいろと試してみたいです。

画像生成AIの開発は日々進化しています。ここで紹介したサービスもアップデートで機能の充実や、より便利になることが期待できます。サービスの種類自体もどんどん増えていくと思いますよ。

column

画像生成AIは検索エンジンのようなもの？

新たな技術が登場することで、従来行っていた作業プロセスが大幅に楽になったり、利便性が飛躍的に向上したりする変革は、これまでにも度々起きていました。たとえば、Photoshopのような画像編集ソフトでデジタル写真を扱えるようになる以前、フィルムで撮影した写真に編集を加える作業は高度な職人技が求められました。それをPCの画面上で行えるようになり、さらに進化した現在は簡単な作業であれば数回のクリックで完結することすらあります。

では、今広がり始めたばかりの画像生成AIは、従来のツールにどのような変化をもたらす可能性があるのでしょうか？ Stable Diffusionを手がけるStability AI CEOのエマド・モスターク氏は、画像生成AIを「生成型検索エンジン」であると説明しています。

何かしらの画像が必要となったとき、おそらく現在はGoogleの画像検索などを使う人が多いのではないでしょうか？ しかし、画像検索は当然、既存のネット上に存在するものだけが対象となります。求めるイメージに近いものを探し出すのに難儀した経験をお持ちの方も多いかもしれません。

画像生成AIはネット上のあらゆる画像をもとに学習しているので、画像検索に近いことを行え、さらに存在しない画像は新たに作ることができます。そのような意味で、従来の検索に代わる道具として使われるようになる可能性を秘めているのです。

Chapter

2

AIで画像を生成してみよう

AIで画像を作り出すためのコツを知ろう

プロンプトをどう入力するかがポイント

画像生成AIでイメージ通りの絵を作り出すには、画像の内容を指定するテキストであるプロンプトをいかにうまくコントロールするかが重要になります。簡単に画像を作り出せるのが画像生成AIの魅力とはいえ、指定の仕方が不十分なら思い通りの結果にはなりません。たとえば、風景の絵を作りたいからといって、単に「landscape」（風景）とだけ指定したのでは漠然とした「風景のようなもの」にしかなりません。自分がイメージしたものをしっかり形にするには、その風景には何が描かれているのか、どんな画材を使って描いた絵なのかといった情報を具体的に指定していく必要があるのです。

MidjourneyやDALL·E 2のような海外発のサービスの場合、英語でプロンプトを入力する必要があるため、ハードルが高いと感じている方もいるかもしれませんが、プロンプトの構成には「型」があるので、それを覚えてしまえばさほど難しいことはありません。基本の型に沿って水彩画、油絵といった生成する絵で使う画材や、何を描いたのかを示す主題、そしてその主題を補足する細かい情報などを追加します。

この章では、プロンプトの基本的な作り方を順を追って学んでいきます。さらに、プロンプトの精度をより向上させるためのテクニックについても紹介しています。なお、本文中では、写真風の画像を含めた生成物全般や、その仕組みに関する説明では「画像」、

「絵（イラスト等）を作る」ことを意図して画像生成を行った結果の生成物については「絵」と呼び分けています。

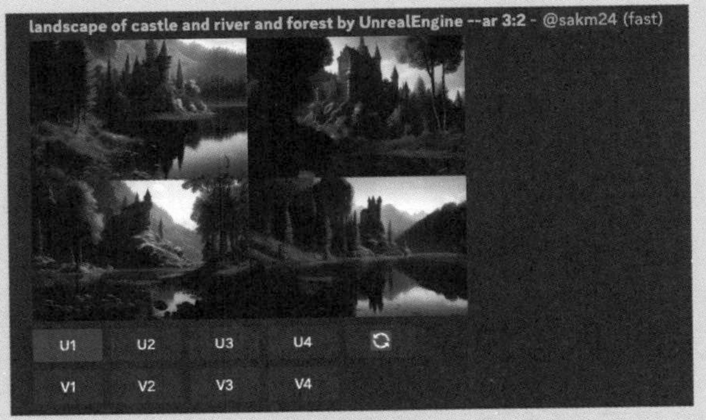

2-0-1 プロンプトの基本の「型」を覚えることで、思い通りの画像を生成しやすくなる（画面はMidjourney）

サービスごとの特徴や注意すべきことも知っておこう

画像生成AIにもさまざまなサービスがあり、サービスごとに生成される絵の傾向にも少しずつ違いがあります。本章では、各サービスで同じプロンプトを使って生成した結果の比較も行っています。

また、画像生成AIを使うにあたっては、どんな言葉でもプロンプトに指定してよいというわけではありません。トラブルにつながる可能性のある画像が生成されるのを防ぐためにしてはいけないこと、注意するべきことについても知っておきましょう。

実際に試行錯誤を繰り返すのが上達の近道

画像生成AIを使いこなせるようになるには、実際に手を動かして試行錯誤を続けることが一番です。思い通りの絵ができるまでプロンプトの微調整をしながら繰り返し生成を行うことで、だんだんとコツをつかめるようになっていくはずです。本章で基本を学んだ後は、ぜひ自身で画像生成にトライして、納得の1枚ができるまで試行錯誤してみることをおすすめします。

Chapter2

1 キーワードから画像を生成してみよう

ここからは、深津さんにレクチャーを受けながら、実際に画像生成にチャレンジしていきます。まずは画像生成の命令文であるプロンプトの基本的な作り方について教えてもらいました（操作方法は2023年2月時点のもの）。

Midjourneyで風景画を描いてみよう

実際にAIで画像を作ってみたいと思います。第1章でいくつかサービスを紹介いただきましたが、初心者に使いやすいのはどれですか？

Midjourneyは比較的チャレンジしやすいと思いますよ。チャットツールのDiscordで展開されているので、**ほかのユーザーが入力したプロンプトや、そこから生成された画像も見ることができます。**

Discord（ディスコード）は、テキストチャットをはじめ、音声通話やビデオ通話機能を備えたアメリカ発のコミュニケーションツール。それぞれのコミュニティは「サーバー」と呼ばれ、ユーザーは招待リンクから任意のサーバーに参加できる。

生成結果がユーザー間でオープンになっているんですね。それなら、自分が作りたいものに近いイメージの絵を作っている人のプロンプトを参考にすることもできますね。

Discordアカウントを用意して、Midjourneyの公式サイトから「Join the Beta」をクリックすればDiscordサーバーに参加できます。

Discordを開きましたが、左側にチャンネルがたくさん並んでいますね。どれを選べばいいんですか？

「初心者」を意味する「newbies」から始まるチャンネルならどれでも大丈夫です。メッセージの入力欄に「/imagine」と入力してから、プロンプトを入れていきましょう。

今回はきれいな風景画を作りたいと思っています。「風景」は英語で「landscape」ですね。

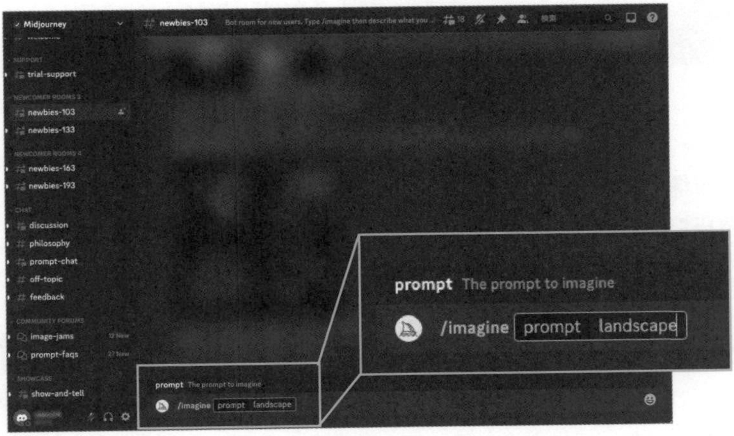

2-1-1 Discordのメッセージ入力欄からプロンプトを入力。「/imagine prompt」は途中まで入力すると候補が表示されるので、クリックして選べばよい

自分宛てのメンションがついたチャットにパーセンテージが表示されています。この場所に画像が出てくるということですよね？

そうです。100%になるまで少し待ちましょう。ちなみにMidjourneyの場合、**一度に4枚の画像が生成される**ようになっています。

2-1-2 一度に4枚の絵が生成される。画像をクリック→「ブラウザで開く」で拡大表示が可能。1枚ずつの絵にするには「リアクションを付ける」→「:envelope;」（封筒アイコン）をクリックする

画像が出てきました！ でも、なんだか抽象的というか、あまり精巧な絵という感じではないですね……。

「landscape」だけだと**指示があいまい**だからですね。**「何を描いた風景なのか」**をプロンプトに含めてみましょう。

お城があって川が流れていて、森がある幻想的な風景を作るとしたら、どうなりますか？

城（castle）と川（river）、森（forest）のある風景を指定するなら、次のようなプロンプトになります。

```
landscape of castle and river and forest
```

（城と川と森の風景）

2-1-3 「城」「川」「森」をプロンプトに含めた場合の生成結果。絵の中で描写したいものがあれば、それをプロンプトとして指定する

城らしきものや川らしきものが現れました。でもまだ、何の画材で描いたのかよくわからない、ぼんやりとした感じがあります。画質もあまりよくない気が……。

水彩画（water color）と画材を指定して、さらに「高画質」（high quality）を加えましょう。

```
high quality water color landscape painting of castle and river and forest
```

（城と川と森を描いた高画質の水彩風景画）

2-1-4 「高画質の水彩画」という指定を追加。先ほどの生成結果に比べると、水彩画らしいタッチの絵になったことがわかる

かなりきれいな絵になりました！ ここからもっと手を加えるとしたら、どんな要素を入れたらいいですか？

「印象派」（impressionism）を付けて、絵を横長にするために縦横比を指定する指示も入れてみましょうか。

```
high quality water color landscape painting of castle and river and forest
in the style of impressionism --ar 3:2
```

（城と川と森を描いた印象派風の高品質な水彩風景画、縦横比3:2）

2-1-5 「印象派」の指定を追加。縦横比を変えたいときは、「--ar」に続けて「3:2」のように比率を記載する

イメージしている絵にだいぶ近づいてきました。最初の「landscape」だけのプロンプトで作ったものと比べるとずいぶん違いますね。

そうですね。最初は指示があいまいなので、水彩画とも油絵ともパステル画ともとれるような絵が出ていました。**できるだけ具体的に指示**をしたほうが、イメージに近いものが作れますよ。

なるほど。作る段階で「どんな絵がほしいか」をなるべく具体的に考えておいたほうがいいということですね。

「なんとなく、いい感じの風景」のような指示では、AIも困ってしまいますからね。基本的なイメージが固まったら、あとは雪や雨を降らせたり、夕焼けや夜中の風景にしたりと自由に細かい調整をしていけばいいですよ。

より幻想的な感じを出すために、満月の出ている夜の風景にしてみたいと思います。

```
high quality water color landscape painting of castle and river and forest
in the style of impressionism, midnight, blue hour, full moon --ar 3:2
```

（城と川と森を描いた印象派風の高品質な水彩風景画、夜中、日の入り後、満月、縦横比3:2）

2-1-6 「夜中」「日の入り後」「満月」をプロンプトに追加。これまでは昼間の風景だったものが、月夜を描いたものに変化した

月夜の風景ができました。よく見るとなぜか月が3つくらいありますが（笑）

現段階では、細かい部分ではどうしても不自然なところは出てしまいますね。気になるようなら、**画像をダウンロードしたあとに自分で画像編集ソフトなどを使って手を加える**といいですよ。

プロンプトの基本的な指定方法がつかめてきました。まずは基本にそって入力してみて、結果を見ながら試行錯誤を繰り返して理想の絵に近づけていくのがよさそうですね。

Chapter2

2 語順によって生成結果は変わる?

画像生成時に入力するプロンプトでは、何をどの順番で書くかも重要になります。イメージ通りの結果を得るために、プロンプトの基本的な形式や語順のルールを知っておきましょう。

プロンプトの語順はどうやって決めたらいい？

プロンプトの書き方がなんとなくわかってきましたが、自分で1から作ろうとするといろいろ迷いそうです。指定するときの語順には、**定番の形式**みたいなものはあるんですか？

まず画材などの全体のフォーマットの指定を入れ、続いて「風景画」のような主題、そのあとに細かい要素の指定を入れるのが基本的な構成になります。

前の節で作った風景画でいえば、水彩画（water color）が全体のフォーマット、主題が「城と川と森の風景画」（landscape painting of castle and river and forest）ですね。

その通りです。フォーマットはこのほかに、油絵なら「oil painting」、パステル画なら「pastel art」のように指定します。

何を主題とするかや、細かい要素を入れる順番も結果に影響してくるということでしょうか？

経験則として、**「手前にある文ほど強く、後ろにある単語ほど弱い」「最後の文はそこそこ強い」「前置詞や関係代名詞の前の単語が強く出て、後ろの単語のほうが弱くなる」**などの傾向がわかっています。

全体像	+	主題	+	補足	+	魔法の言葉（2-3参照）
・水彩画 ・油絵 など		・城と川と森の風景 ・草原の中のウサギ など		・夜中 ・満月 など		・カメラの機種名 ・作家名 など

2-2-1　プロンプトの基本的な構成。必ずしもこれらすべてを入れる必要はないが、基本的な要素として意識するとよい

ちなみに、この書き方は、Midjourney以外の画像生成AIでも使えるものですか？

Stable Diffusion、DreamStudioなどはバージョンの更新によってこの書き方が通用しなくなっている可能性があるので注意が必要です。

プロンプトの書き方も常に研究が必要ですね。

言葉の順番を入れ替えるとどうなる？

語順の入れ替えで生成結果を調整する場合の具体的な方法について教えてください。たとえば、前の節で作った月夜の風景では遠景に小さく城が描かれていました。これを城がメインの絵にしたい場合はどうしたらいいですか？

城（castle）が主題として強調されるように、プロンプトの手前の位置に持ってきましょう。

```
high quality water color landscape painting of castle in the style of
impressionism, midnight, blue hour, full moon, river, forest --ar 3:2
```

（印象派のスタイルで城の高品質な水彩風景画、夜中、日の入り後、満月、川、森）

2-2-2 「城」を強調するために手前に記述したプロンプトで生成した画像。城が絵のメインだと伝わる構図になっている

城が大きく描かれた絵になりました！ 最初に生成したものと比べると、かなり印象が違いますね。

今回は「城」だけを手前に持ってきたので、「城」を「川」や「森」と同列に並べた以前のプロンプトで作ったものと比べると、城が強調された構図になっていますよね。最初のプロンプトや生成結果と比べると、何が違うのかがわかると思います。

最初に作った、城をメインにする前のプロンプトと生成結果はこちらでしたね（次ページの画像）。並べて比較すると、違いがよくわかります。

```
high quality water color landscape painting of castle and river and forest
in the style of impressionism, midnight, blue hour, full moon --ar 3:2
```

（城と川と森を描いた印象派風の高品質な水彩風景画、夜中、日の入り後、満月、縦横比3:2）

2-2-3 前項で生成した画像。プロンプトで「城」と「山」「森」を同列に記述しているため、城も風景の一部として描かれている

もちろん、語順を変えても1回で思い通りの絵にならないケースもたくさんあるので、**細かい部分を変えながら何度もトライするのがいい**と思いますよ。

生成された絵が「惜しい」ときは？

ちなみに、生成された絵がほんの少しだけイメージと違う、プロンプトを書き換えるほどではなさそうだけど、微妙に惜しい……みたいなときはどうしたらいいですか？

Midjourneyの場合、**生成された画像の下に「V1」「V2」というボタン**があります。これはバリエーション（Variation）のVで、1枚目の画像が惜しいと思ったら「V1」を、2枚目なら「V2」をクリックすれば、その画像をもとにしたバリエーションが新たに4枚生成されますよ。

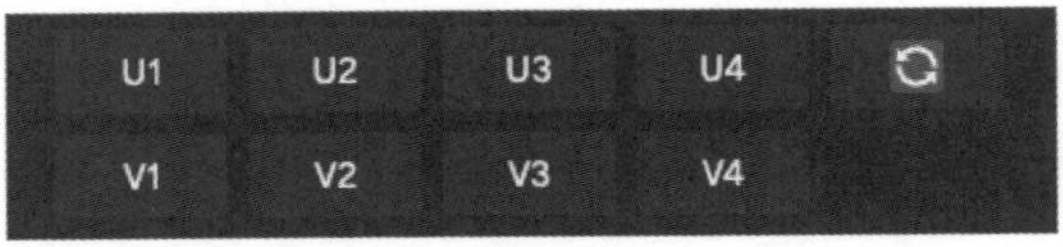

2-2-4 「V」で始まるボタンでバリエーションを生成。なお、「U」で始まる4つのボタンからは高解像度版画像の生成が可能

バリエーションが出ました。全体の構図はだいたい同じですが、よく見ると山の形や城の塔部分の配置、水面の光の反射の仕方などが違いますね。

2-2-5 最初に生成された絵をベースにした、山の形や水面の反射などの細部が少しずつ異なる絵が4枚生成された

バリエーションの4枚のうち、一番イメージが近い絵の「V」ボタンを押せば、今度はそれをもとにしたバリエーションが作られます。これを繰り返して、納得のいく1枚を作り上げていきましょう。

AIで絵を描くというと、魔法のように簡単なイメージを抱きがちですが、**理想通りの仕上がりにするには、根気よく細部を調整していく作業が必要**になるんですね。

Chapter2

3 思い通りの画像を生成するには?

プロンプトに付け加えることで、画像を簡単にイメージ通りの仕上がりにできる「魔法の言葉」があるといいます。その使い方や使用時の注意などを深津さんに聞きました。

思い通りの絵を作る裏ワザがある!?

だいぶイメージ通りの画像が作れるようになってきましたが、まだ今ひとつだと感じることが多いです。もっとクオリティの高い画像を作るにはどうしたらいいですか?

プロンプトの最後に、生成結果を向上させる**「魔法の言葉」**を付け加えましょう。

えっ!? そんなすごい裏ワザが存在するんですか!

それほど特別なことではないですよ。簡単にいうと、**「きれいな画像に付いていそうな言葉」をプロンプトの最後に入れる**んです。

きれいな画像と聞いて思い浮かぶのは、美術館の絵やゲームの背景グラフィックですが、そこに付いている言葉……?

たとえば、美術館の絵を紹介するWebページには、おそらく「○○美術館収蔵」といったキャプションが付いていますよね。あるいは、ゲームの背景なら、ゲーム制作に使われるツールの名称の「アンリアルエンジン(Unreal Engine)」などの文字列が一緒に記載されている可能性が高そうです。

たしかに！ それをそのままプロンプトに書けばいということですか？

プロンプトの末尾に、「Collection of The Metropolitan Museum of Art」（メトロポリタン美術館収蔵）「by Unreal Engine」（アンリアルエンジンによる）のように付け加えます。たとえば、ゲーム背景風の画像を作りたいなら、こんな感じですね。

```
landscape of castle and river and forest by Unreal Engine --ar 3:2
```

（城と川と森の風景、アンリアルエンジンによる、縦横比3:2）

2-3-1 アンリアルエンジンは、ゲーム制作に使われるツールの名称。これを加えることで、ゲームの背景で使われるような画像になる

本当にゲームにありそうな風景が出てきました！ 面白いですね！ **AIがどこから学習したのかを予想して、先回りしてプロンプトに書いてしまう感じ**ですね。

このほかに、写真のような画像を作りたいなら、**カメラの機種名やレンズ名、絞りやシャッタースピードなどの設定**を書くのもおすすめですよ。

カメラメーカーのサイトに載っているサンプル写真などと一緒によく書かれている情報ですね。

一眼レフカメラの撮影では、背景をぼかしたい場合にF値を小さくしますよね。草原にいるウサギを、背景をぼかして撮った写真のようにしたいなら、こんなプロンプトでどうでしょう？

```
Rabbit in the meadow by Nikon D6 and AF-S NIKKOR 24mm f/1.8G ED,F1.8,Shutter Speed 2000 --ar 3:2
```

（草原の中のウサギ、NikonD6（カメラの機種名）とニッコール24mm f/1.8G ED（レンズ名）で撮影。絞り1.8、シャッタースピード2000、縦横比3:2）

2-3-2 高品質な写真にはカメラの機種名や設定などが添えられていることが多いので、それをプロンプトに利用する

性能のいいカメラで撮った写真という感じがします！ 写真の知識が少し必要になりますが、絞りやシャッタースピードの値を調整することで、背景のぼけ具合を変えたり、躍動感のある写真にしたりできますね。

めざす画風をしっかり再現するには？

絵画風の画像を作る場合は、具体的な巨匠画家の名前を入れてしまうという方法もあります。たとえば、先ほどから試している風景画をモネ風の作品のような雰囲気にしたい場合はこうなります。

```
landscape of castle and river and forest by Claude Monet  --ar 3:2
```

（城と川と森の風景、クロード・モネによる、縦横比3:2）

2-3-3 特定の作家の画風に寄せたい場合は作家名を入れるのが近道。パブリックドメインとなっている作家を使うなど配慮が必要

おぉ！ やわらかいタッチなど、モネ風になりましたね。でも、実在した画家の名前を使うことは、法律やモラル的には問題ないんでしょうか？

○○風というように、画風や世界観を似せる分には問題ありません。ただし、**現役作家の名前をそのまま使うのは避けたほうがいい**でしょう。

現役ではない作家の名前であれば、問題ないという認識で大丈夫ですか？

安全に使いたいのであれば死後70年が経過して、作品が**パブリックドメイン**（著作権切れ）になっている画家の名前を使うとよいと思います。あとは、方向性の近い複数の画家の名前を入れることで**特定の作家の作風に似すぎないようにする**という方法もあります。

人物名を使う以上、やはり配慮は必要ですね。

心配な場合は、「ルネサンス」「バロック」のように、美術のムーブメントや時代のような大きなくくりで指定するだけでも、「それっぽい」絵を作ることはできますよ。

「魔法の言葉」をプロンプトの最後に加えるだけで、画像の雰囲気が大きく変わるのには驚きました。これを覚えておけば、思い通りの画像を作りやすくなりますね。

魔法の言葉の例	プロンプトの例
○○美術館収蔵	Collection of The Metropolitan Museum of Art（メトロポリタン美術館収蔵）
ゲーム制作のツール名	by Unreal Engine（アンリアルエンジンによる）
カメラの機種名・設定	by Nikon D6 and～（カメラの機種名、レンズ名、絞り、シャッタースピード）
画家の名前	by Claude Monet（クロード・モネによる）

2-3-4 「魔法の言葉」の例。途中まで同じプロンプトでも、この部分を変えるだけで仕上がりは大きく変わる

Chapter2

4 サービスによって生成される画像は違う？

ここまではMidjourneyを使って画像生成AIの基本を学んできました。他の画像生成AIを使う場合のポイントや、それぞれの画像生成AIで生成される画像の傾向の違いなども知っておきましょう。

それぞれの画像生成AIを使いこなすには？

Midjourney以外の画像生成AIも使ってみたいと思っています。その場合も同じようにプロンプトを入力していけばいいんですよね？

DALL·E 2やStable Diffusion、DreamStudioの場合、同じようにプロンプトを入力して生成します。**Novel AIはタグで指定する方式**なので、ここまでに学んできたような文章のプロンプトにするのではなく、単語をカンマで区切る書き方をします。

cat, dancing, high quality, pastel art
猫　踊る　高画質　パステル画

2-4-1 Novel AIの場合、英単語をカンマで区切ってプロンプトを記述していく。「ダンスをする猫の高画質なパステル画」なら上記のようになる

サービスによって少しずつ方法が違うんですね。DreamStudioの場合、生成画面の横に設定項目があります。「Width」と「Height」が画像の横幅と縦の長さ、「Number of Images」が生成する画像の枚数というのは単語からわかるのですが、ほかの項目をどうしたらいいかわかりません。

これらの項目は、第1章で解説した画像生成AIの仕組みが関係しています。

ノイズから画像を復元するAIと、テキストと画像の距離を測るAIのペアで画像を作っているという話ですか？

そうです。**「Cfg Scale」はプロンプトにどのくらい影響力を持たせるかを決める**もので、値を大きくするほど強く反映されます。7から8くらいに設定すればバランスのよい結果になりますよ。

その下の「Steps」という項目は何を決めるものですか？

ノイズから画像を復元するときに、**ノイズ除去を何回繰り返すか**の設定です。30から50くらいの範囲で設定することが多いですね。

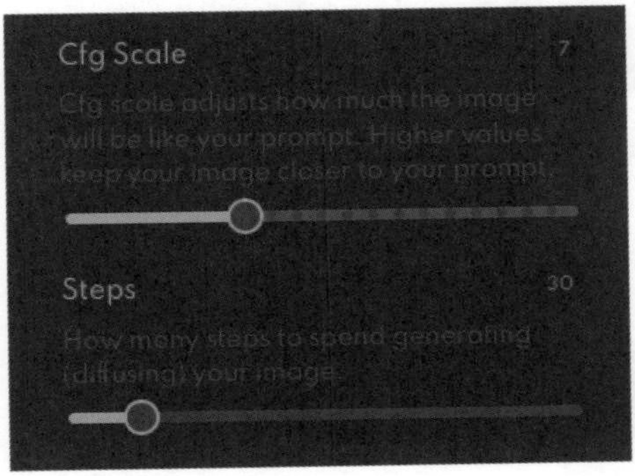

2-4-2 DreamStudioでは、生成画面右側に設定項目が並ぶ。それぞれのスライダーを動かして生成条件を変更できる

次のページからは、MidjourneyとDALL･E 2、DreamStudio、Novel AIで、シンプルなプロンプトを使って「ダンスをする猫の高画質なパステル画」と「木版画調で北斎の浮世絵風の美しい花畑でピクニックをする人々」を生成して、その結果を比べてみました。

同じ画像生成AIでもプロンプトの指定方法によって結果は大きく変わりますし、生成ごとに違うテイストの絵ができる場合もあるので、あくまでも一例と考えるのがいいと思いますよ。

Midjourney

ダンスをする猫の高画質なパステル画（上の画像）と、美しい日本の木版画による、北斎の浮世絵風の美しい花畑でピクニックをする人々（下の画像）のプロンプトで画像を生成。各サービスの傾向を知るため、あえて細かい条件を入れないシンプルなプロンプトを使用した。

2-4-3 写真に近い雰囲気のリアルな猫の絵が生成された。何度か試したが、いずれも長毛種の洋猫が多かった

```
high quality pastel art dancing cat
```

2-4-4 ピクニックの絵には、着物姿の人物や松らしい木が描かれた。浮世絵のような淡い色調になった

```
beautiful japanese wood cut printing, people picnicking in the beautiful
flower garden in the style of ukiyoe by Hokusai
```

DALL·E 2

Midjourneyと同じプロンプトを使って2種類の絵を生成。「パステル画」「木版画」といった技法がしっかりと反映された。ちなみにDALL·E 2では、生成した画像に枠を追加して画像に描かれていない部分を追加できる機能も用意されている。

2-4-5 こちらも何度か試したが、人が描いたタッチを感じるような繊細で優しい印象の絵が多く登場した

```
high quality pastel art dancing cat
```

2-4-6 ピクニックの絵は「浮世絵」の要素は薄いものの、着物や庭園らしい要素などが反映され味のある仕上がりになった

```
beautiful japanese wood cut printing, people picnicking in the beautiful flower garden in the style of ukiyoe by Hokusai
```

DreamStudio

こちらも前ページまでの2つのサービスと同じプロンプトを使用。プロンプトの入力から画像生成完了までの時間が比較的短く、気軽に使うことができる。Cfg Scaleは「7」、Stepsは「30」で、いずれも初期設定のまま。なお、Stepsの値を小さくし過ぎると画像がぼやけてしまうので注意が必要だ。

2-4-7 ポップアートのようなカラフルでインパクトの強い猫の絵が多く生成された。自分で描く絵のアイデアを得る場合にも役立ちそうだ

```
high quality pastel art dancing cat
```

2-4-8 ピクニックのイラストは、色合いやタッチなど「浮世絵」の要素が色濃く反映された

```
beautiful japanese wood cut printing, people picnicking in the beautiful flower garden in the style of ukiyoe by Hokusai
```

Novel AI

Novel AIはカンマ区切りのタグで画像の内容を指定する方式のため、調整したプロンプトを使用。前ページまでに紹介したサービスとは画風の大きく違うイラストが生成された。

2-4-9 「猫耳と尻尾をつけた人間」「猫とダンスをする女性」など、人間の登場する漫画の風合いが強いイラストになった

```
cat, dancing, high quality, pastel art
```

2-4-10 和服姿の可愛らしいキャラクターのイラストができた。「浮世絵」の要素は薄いが、人物イラストに強みをもつNovel AIらしくクオリティが高い

```
beautiful japanese wood cut printing, people picnicking, beautiful flower garden, ukiyoe, Hokusai
```

Chapter2
5
画像生成AIを使うときに注意すること

思い通りの画像を作るためであっても、ルールやモラルの面で避けたほうがいいプロンプトもあると聞きます。プロンプト作成にあたって注意すべきことを教えてもらいました。

使ってはいけないプロンプトがある!?

ここまで、画像生成AIで画像を上手に作るためのコツについてお聞きしてきましたが、**ルールやモラル的に気を付けるべきこと**もあるんですか？

プロンプトの作り方（2-3）でも話した通り、**現役作家の名前を入れるのは避けたほうがいい**ですね。すでに亡くなっている人でも、**パブリックドメインになっていない場合は同様**です。

実在の作家の作風に似た絵が生成してしまうのを避けるためということでしたよね。もし、誰かの名前を入れた結果、その人の作風にそっくりな絵ができてしまったら、トラブルに発展する可能性もあるんでしょうか？

わざわざ名前を指定している以上、相手は不快に感じるかもしれませんし、場合によってはその人の仕事の邪魔をしてしまうかもしれない。そういったところから**トラブルに発展する可能性はある**と思いますよ。

たしかに、「プロンプトで名前を指定した＝画風を真似しようという意志があった」と受け取られてしまう可能性はありそうです。

あと、歌手や俳優など、**実在の有名人の名前を入れるのも避ける**のが安全です。

その人の姿によく似た画像が作られてしまう可能性があるということですか？

そうですね。AIによる偽画像、いわゆる**ディープフェイク**的なものが生成されてしまう可能性があります。その人が実際には訪れていない場所にいるような画像や、とっていない行動をしているような画像が作られ、それが本物と誤解されて広まれば、その人の仕事を邪魔するような結果になるかもしれません。

精度の高い画像を生成できるからこそ、偽画像が本物と間違って拡散されたときの影響も大きくなりそうです。**間違われる可能性のある画像は、最初から作らないほうがいい**ということですね。

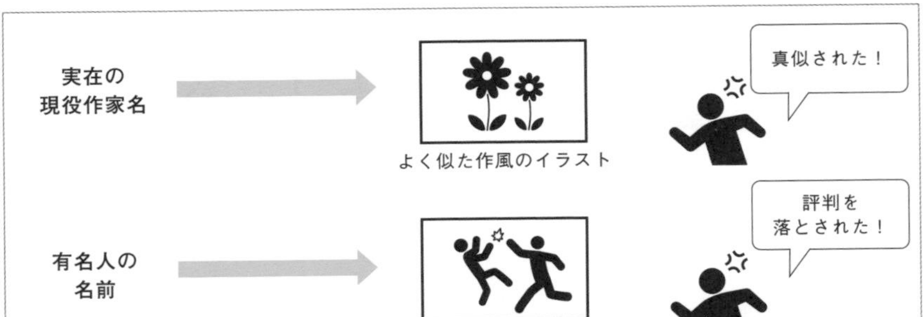

2-5-1 実在の人物名を入れることで、その人の仕事を邪魔したり、世間から誤解を受けるような画像が生成されてしまう可能性もある

もうひとつ気を付けたいのが、漫画やキャラクターなどの**IP**（知的財産）ですね。これも具体的なキャラクター名をプロンプトに入れることで、よく似たものが作られてしまう可能性があります。

こちらも本物によく似た偽画像が作られて拡散されてしまえば、トラブルになる可能性が高そうですね。ちなみに、自分が個人的に楽しむためだけに、「好きなキャラクター風の絵」を作るのもダメですか？

それは二次創作をどうとらえるかにも共通する問題で、絶対にNGとは言い切れませんが、やはり慎重になるべき部分だとは思います。

AIの学習時の「バイアス」を意識する

さらに覚えておきたいのは、AIが学習元としている情報の中に、**偏見にもとづく情報や、人種やジェンダーなどに偏りのある情報が含まれているかもしれない**という点です。たとえば「医師の画像」なら、AIはインターネット上の医師の写真で学習しているので、そこにある性別や人種の偏りをそのまま学んでしまいます。

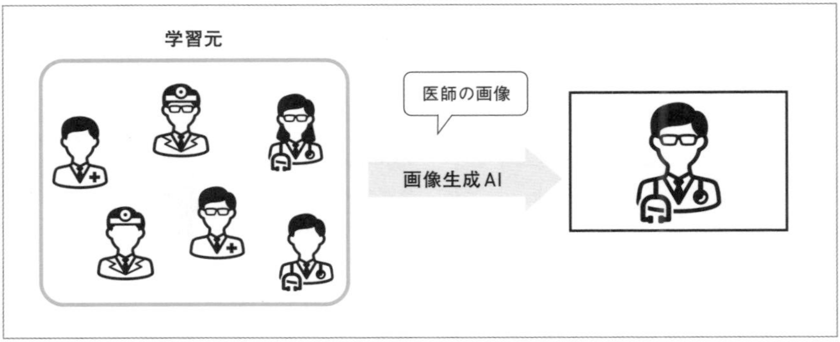

2-5-2 AIの学習元となるデータに偏りがあれば、生成される画像にもそれが反映されてしまう可能性がある

学習元となった画像で男性医師の比率が高ければ、AIで生成した画像にもそれが反映されてしまう可能性があるということですね。その場合は、どうしたらいいですか？

女性医師の画像が必要なら「female doctor」のようにあらかじめ性別を指定する、同様の理由で日本人の医師を生成したいなら、プロンプトで「japanese」と指定するという感じですね。

画像生成AIを使う側が、そういった**偏りが存在する可能性を意識しておく**必要があるということですね。

そうです。皆が偏りのある画像を生成し続ければ、さらに偏りが大きくなってしまう可能性もありますからね。

「ひどい画像」が作られるのはAIのせいではない

そのほかに、モラルの面で気をつけたほうがいいことはありますか？

卑猥なものや暴力的なもの、他人が見て不快になる可能性が高いものなど、いわゆる**エロ・グロと呼ばれるような画像には注意が必要**ですね。

そういった画像を作ってネット上で公開してしまえば、炎上などのトラブルにつながる可能性があるということですよね。

そうです。法律の専門的なことについては、水野弁護士にも聞いてみるといいですよ（第4章）。私から言えるのは、**AIがひどい画像を作るときは、たいていはAIのせいじゃなくて、画像を作る人がひどい命令をしたせい**なんですよ。なので、AIで画像を作るときには、自分がこの画像の責任を持つんだという意思で扱うことが大切だと思っています。

画像生成AIはあくまでもツールなので、使う側の人間が意識して適切な使い方をする必要があるということですね。

column

生成される画像は「一期一会」？

画像生成AIでは、まったく同じプロンプトを入力しても、毎回異なる画像が生成されます。ランダムなノイズから画像を復元するため、最初のノイズが違えば復元された結果も異なるためです。そんな偶然の出会いを楽しめるのも、画像生成AIの面白いところかもしれません。

このように生成結果は一期一会ともいえるので、少しでも気になる画像は、生成されたときにしっかりと保存しておくことをおすすめします。しかし、生成直後には画像を保存していなかったものの、「やっぱりさっきの画像をダウンロードして使いたい！」となることもあるでしょう。また、以前作成したPCとは別のPCで同じ画像を生成したいというケースもあると思います。その場合はMidjourneyやStable Diffusionで利用できる「Seed」という値を利用してみましょう。Seedとは生成画像のランダム性を特定・指定するための設定値で、このSeedを固定することで以前に生成した画像を再現できます。Midjourneyの場合、各画像の［リアクションを付ける］で「:envelope:」を指定するとBotからSeed値が記載されたメッセージが届きます。生成時はプロンプトの最後に「--seed」に続けてシード値を入力すると、元画像と近い画像が生成されます。

画像生成AIは気軽に利用でき、その一期一会を楽しむのも醍醐味です。最初のうちはプロンプトを研究して繰り返し生成してみるのもよいでしょう。コツをつかんできたらSeedを利用して、より正確に理想の画像を作っていくのも面白いと思います。

Chapter

3

画像生成AIの活用方法

画像生成AIの登場で仕事の進め方はどう変わる？

画像生成AIを仕事で生かすには？

簡単にクオリティの高い画像を作り出せることが魅力の画像生成AI。第2章では実際に画像を作る方法を学びました。単にきれいな絵を作るだけでも十分に楽しめますが、日々の仕事などで実用的に役立てることで、より多くのメリットを得ることができます。第3章では、そんな実用ベースでの画像生成AIの活用について紹介していきます。

画像生成AIを仕事に生かせるのは、「絵が必要だけれど、自分では描けない人」「素材として絵を必要としているクリエイティブ職の人」「自身で絵を描く人」「短時間で大量の画像を必要とする人」などです。このうち、自分で描けない人や素材が必要な人が使うケースは、比較的イメージしやすいのではないでしょうか。

一方で、仕事で絵を描いているクリエイターにとっては、画像生成AIは脅威になるのではという印象を抱いている方もいるかもしれませんが、必ずしもそうではありません。自分で絵を描くときのアイデアを得るために使ったり、背景などの一部にAIで作った絵を使うことで制作プロセスの省力化に役立てたりと、自身の制作を助けるためのツールとして有効に活用できる可能性もあるのです。

さらに、仕事以外の用途でもさまざまな分野で活用の可能性があります。誰もが簡単に使える新たな表現手段として、大きな変革をもたらすものとなりうるのです。

「どんな絵でも作れるわけではない」点に注意

画像生成AIを仕事で生かすにあたって覚えておきたいのは、現時点では「どんな絵でも生成できる万能ツールではない」という点です。細部が上手く描けなかったり、複数の人などの関係性を再現するのが苦手だったりと、画像の内容によっては思い通りに生成するのが困難なケースもあります。そのため、画像生成AIの得意分野・苦手分野を把握したうえで、その強みを生かせる使い方をすることが大切です。また、生成された画像を人の手で加工して使うなどの工夫も必要になるでしょう。

3-0-1 手をつないでいる部分がうまく表現できていない。画像生成AIは細かい部分まで正確に描く必要のある絵には向かない

本章では、画像生成AIの活用が適しているのはどんな画像か、どのような分野で活用できるのかといったことに加え、フェイクニュースでの悪用のリスクなどについても解説しています。

画像生成AIを使うことで、仕事の効率化、予算の削減などのメリットも期待できます。そして、実践したいと思えばすぐに自分で試すことができるのも画像生成AIのよいところ。自身の仕事に役立ちそうだと思ったら、実際に画像を作ってみることをおすすめします。

Chapter3 1

画像生成AIの得意分野・苦手分野は？

コツを覚えれば高いクオリティの絵を思い通りに生成できるのが画像生成AIの魅力ですが、どんな画像でも作れるわけではありません。画像生成AIの得意分野と苦手分野を深津さんに聞きました。

AIで生成しづらいのはどんな画像？

第2章で実際にAIで画像を作ってみて、精度の高さに驚きました。これなら実際の仕事などでも使えそうです。

活用できる場面は多いと思いますよ。ただし、**画像生成AIに得意分野と苦手分野がある**ことは知っておいたほうがいいでしょうね。

万能ではないということですね。**画像生成AIが苦手**とするのは、どんな画像ですか？

1つの画像の中に人や動物、**モノなどのオブジェクトが複数存在していて、さらにそれぞれの関係性を正確に描写する必要があるものは苦手**ですね。

たとえば、桃太郎のシーンを再現したいと思って、「犬と猿とキジは、鬼を退治する」というプロンプトを打っても、絵本に描かれているような絵は出てこないということですか？

この場合だと、「犬」「猿」「キジ」「鬼」の絵を描いたうえで、それぞれの関係性も描写する必要がありますが、今の画像生成AIで正しく再現するのはハードルが高いと思います。

3-1-1 Midjourneyで生成した犬と猿とキジは鬼を退治する絵。絵本の挿絵をイメージ

`illustrations for picture books dog, monkey and pheasant exterminate ogres`

実際に作ってみましたが、猿らしき生物と羽毛の生えた犬のような顔の生物が合体したものが出てきました。鬼のほうは鳥のような顔をしています。これは変ですね……。

複数の動物を同時に正しく描くことや、「犬と猿とキジは味方同士で、鬼が敵」という関係性をきちんと再現することが、現段階のAIでは難しいんですよね。ただ、今後AIが進化するにつれて正確に描けるようになっていくと思います。

あと、猿らしき生物に目が3つあったり、指の数が多かったりする点も不自然です。

手や顔の細部を正しく描くことも、画像生成AIの苦手分野なんです。画像生成AIで使われているクリップという仕組み（第1章参照）では、画像の全体感を評価しながら生成を行っている関係上、細部を正確に描写することがあまり得意ではありません。なので、細かい部分まで正確に描く必要のある絵には向いていないですね。

そのような部分的におかしい絵が出るのをプロンプトの工夫で防ぐことはできないんですか？

うーん。ある程度は工夫できるかもしれませんが、限界があると思います。自分で絵の描ける人なら、不自然な部分を手作業で修正したほうが早いかもしれませんね。

それ以外で、画像生成AIを使って作るのに向いていない画像はありますか？

学習した情報から推測できないものは生成できません。 たとえば、まだ発売されていない製品や、将来人気になる俳優の写真を出そうとしても、それは無理ということです。

まあ、そうですよね。未来を予測する道具ではないですもんね……。

細部の気にならない絵で強みを発揮

逆に画像生成AIで作るのに適しているのはどんな画像ですか？

水彩画のようなフワッとした画風の絵や、ざっくり描いたデッサンのような、**細部の不正確さが目立たないものは作りやすい**ですね。

3-1-2 ざっくりとしたタッチで描いたデッサン風の絵などは、細部の不自然さが目立たないので作りやすい

苦手な部分を画風でカバーする感じですね。ちなみに、先ほどの犬と猿とキジの絵のような、複数の人や動物が登場する絵を生成したいときはどうしたらいいですか？

単体のオブジェクトであれば、第2章で試したようにプロンプトを細かく指定することで比較的高精度な画像を作ることができます。なので、それぞれの動物や鬼をポーズなども具体的に指定したうえで個別に生成して、それを**あとから画像編集ソフトでコラージュする方法がいいでしょうね。あるいはDALL･E2のようにアウトペインティング（画像の周辺をどんどん描き足して大きな絵を描く）機能がある場合、それを使う手もあります。**

すべてをAIで作るのではなく、手作業と組み合わせる方法もあるんですね。

そうですね。現状、結局は絵が描ける人ほど可能性が広がるツールといえますね。

利用する人間の側が**画像生成AIの得意なこと・苦手なことをきちんと把握したうえで、得意な部分をうまく生かした使い方をしていく**ことが大切なんですね。

得意	苦手
水彩画やデッサン風の絵 単体の人や動物、モノ	複数のオブジェクトの関係性を描く 細部を正確に表現する 学習した情報から推測できないものを描く

3-1-3 画像生成AIはどんな絵でも描けるわけではないので、得意分野と苦手分野を把握したうえで、強みを生かした使い方をする必要がある

Chapter3 2

ビジネス資料などでAI画像を使うときのポイントは?

ここからは、画像生成AIを仕事で活用する場合の具体的な用途や注意点を深津さんにお聞きしていきます。まずは、ビジネスパーソンがプレゼン資料で使う場合など「絵が描けない人」が使うケースについてです。

フリー素材などの代用として重宝

画像生成**AIを実際の仕事に使う場合**、どのようなケースが考えられるんでしょうか？

「絵が描けない人が使うケース」と、「自分で絵を描く人が使うケース」に大別できると思います。

絵の描けない人が使う場合だと、どんな使い方になりますか？

プレゼン資料などに使う写真やイラストが必要なときに、**ストックフォトやフリー素材の代わりに画像生成AIを使う**といった用途がまず考えられますね。

「フリー素材だといつも同じようなものばかりになってしまう」と悩んでいる人は多そうです。バリエーションもたくさん作れるのでメリットは大きいでしょうね。

そのほかには、SNSに投稿する画像を作る場合などにも使えると思いますよ。

企業公式Twitterの投稿ネタの定番になっている、「今日は○○の日」を紹介するツイートに添える画像も簡単に用意できますね。

3-2-1 Midjourneyで生成した、「世界がつながる」を表現した3Dアート。こういったストックフォト的な画像は作りやすい

「ひと手間」が必要になるケースも

ちなみに、AIで作った画像と手元にある写真を組み合わせて使うようなことも可能なんでしょうか？

具体的にはどんなシチュエーションですか？

たとえば、PCメーカーの担当者が、自社の新作ノートPCを紹介するための資料を作っていたとします。そこで、「自社のPCがおしゃれなオフィスのデスクの上に置かれている画像」が必要になった場合などです。

なるほど。PCの写真は実物を撮影したものが手元にあるという想定で、背景となるオフィスの写真を画像生成AIで作りたいということですね。

「おしゃれなオフィス」だけならプロンプトを打ち込んで作れそうですが、その実在しないオフィスに自社のパソコンを置くことは可能なんでしょうか？

2つの方法が考えられると思います。まず、**オフィスの画像をAIで生成して**、そこにPhotoshopなどの画像編集ソフトを使って**パソコンの切り抜き画像を合成**する方法があります。

コラージュをするということですね。画像編集ソフトをある程度操作できれば何とかなりそうです。

そしてもうひとつ、最終的に作りたい画像サイズで、PC以外の背景部分を透明にした画像を用意して、そこに背景を生成するなど、**インペインティング的な方法**も考えられると思います。

コラージュに比べると上級者向きという感じですね。いずれにしても少し手間をかける必要があるんですね。もう少し楽にできるといいんですが……。

いずれは、「自社のオフィスで撮ったPCの写真の背景だけを、別のおしゃれなオフィスの画像に書き換える」といったことも可能になると思いますよ。Googleが2023年1月に発表した「Muse」は、画像の一部分だけを書き換えられる機能が搭載されるなど、**部分的な編集に対応した画像生成AI**はすでに登場しています。

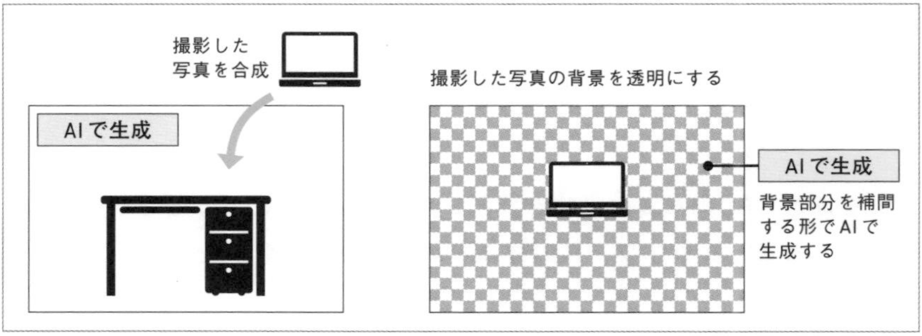

3-2-2 画像生成AIで作った画像に自分で撮影した写真を組み合わせて使いたい場合、おもに2通りの方法が考えられる

生成画像をSNSなどで使う場合に気をつけたいこと

SNS投稿などに画像生成AIで作った画像を使う場合、不特定多数の目に触れることになります。そういった使い方をするときに気をつけることはありますか？

前提として、**著作権を侵害するもの、し得るものを社会に公開するのは避けましょう。**そのほか、文化や宗教、社会情勢は国や地域によって異なるため、日本では大丈夫な画像でも海外では慎重に扱われるケースもあることは、知っておくといいかもしれません。

たとえばどんなケースが考えられますか？

フランスやスペインなどでは、ファッションモデルの極端に細い体型が若者の拒食症の引き金になる可能性が指摘されて、**痩せすぎのモデルや体型を細く修正したモデルの写真を使うことが規制された流れがある**んです。そうしたことを知らずに痩せたモデルの画像を作ってしまうと、海外の人たちから問題視されるかもしれません。

なるほど。そういった世の中に対する広い知識や教養のようなものも持ち合わせている必要があるということですね。

このほかには、悪役のキャラクターを作ったら、それが実在の歴史上の人物によく似ていたなんていうパターンもあり得るかもしれません。頻繁に起きることではないかもしれませんが、そういった可能性もあるということは、覚えておいたほうがいいかもしれません。

これも、もとの歴史上の人物を知っていれば、その画像を使うのを避けることができますね。拡散性のあるSNSだからこそ、気を付けたいですね。

Chapter3

3 ゲームの制作で、画像生成AIが活躍する?

画像生成AIは、ゲーム制作などのクリエイティブの現場でも活用の可能性があるそうです。ゲームの背景やキャラクターデザイン、3DCGの制作といった分野での使い方について深津さんに聞きました。

ほしい素材を自由に作れる!

先ほどお聞きした用途は、画像が制作物のメインとはならないビジネス資料などの使い方でしたが、絵がより重要となるようなケース、たとえば、クリエイティブ業界での画像生成AIの活用も期待できるんでしょうか?

商品そのもの、最終出力そのものを画像生成AIで作るのではなく、**構成物の一部**として使うということであれば可能だと思います。わかりやすいところでは、**ゲームの背景として使う風景を作るようなケース**が考えられますね。

第2章でもゲーム背景風の素材を作りました。あのクオリティなら十分使えそうです。ゲームのキャラクターそのものを作るような使い方は難しいですか?

3DCGのキャラクターそのものを作るのではなく、キャラクター**デザインの草案を作るような使い方**なら画像生成AIでも可能だと思います。その場合、2Dのイラストとしてキャラクターを作り、それを人の手で3D化することになります。

メインキャラクターは人間のクリエイターが作って、それ以外のサブキャラはAIに生成させる、といった作業分担をすれば効率アップに役立ちそうですね。

ちなみに、3Dモデルを生成する「Point-E」というAIも2022年にOpenAIから公開されています。3Dのキャラクターなどは、こういった3D特化の生成AIが使われるようになっていくかもしれません。

このほかには、どんな用途が考えられますか？

3DCGでは、制作物の表面に、**「テクスチャ」**と呼ばれる素材を貼り付けます。キャラクターの服を水玉にしたければ水玉を、塀を石材で作りたければ、石のテクスチャを貼るといった感じです。そこに使う素材を画像生成AIで作ることもできますね。

それなら一般的な素材集にはあまりないものも自由に作ることができますね。「特定の鉱物の質感を再現したいけれど、素材集にイメージ通りのものがない」という場合などに重宝しそうです。

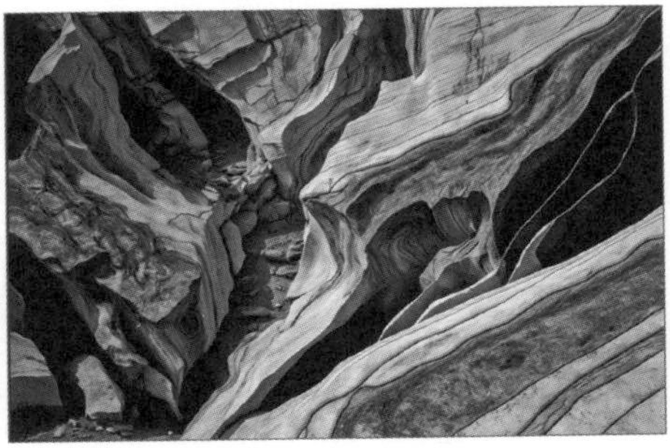

3-3-1 Midjourneyで生成した「流紋岩」（鉱物）のテクスチャ。市販の素材集にないものを作りたい場合などに便利

このほかには、映像作品の全体の構成をまとめた絵コンテを作る場合などにも使えると思いますよ。

必要な素材の入手を容易にしたり、作業を効率化したりするのに役立つということですね。

Chapter3

4 絵の描ける人も、画像生成AIは有効活用できる？

絵を描くことを仕事にしている人にとっても、画像生成AIは決してライバルのような存在ではありません。作業を効率化したり、アイデアを広げたりするために役立つツールとして活用できます。

仕事で絵を描いている人がアイデア出しに活用

仕事として絵を描いている人にとっても、**画像生成AIが役立つ場面**はあるのでしょうか？

大いに役立つと思いますよ。まずは、先ほどお話ししたような**背景などの素材として使う**方法。それに加えて、**構図を考える場合にも使えます**ね。

自分で描こうと思っている絵と同じ構図を、画像生成AIで作るということですか？

そうです。自分で絵を描く前に、太陽の位置をもっと高くしたらどうなるか、建物の位置を動かしたらどうなるかといった試行錯誤を画像生成AIで行い、構図が決まったら自分で描く感じですね。

自分で描いて構図を決める場合に比べると、作業時間を大幅に削減できそうですね。

このほかには、キャラクターの服のバリエーションをAIで100種類生成して、その中から一番気に入ったものを採用するといった使い方もできると思います。

この2つは、本番の絵を描く前の段階の、これまでは**手描きのラフなどで描いていたものを画像生成AIに置き換えるような使い方**ですね。ほかにはどんな用途がありますか？

描き手自身が**よく知らないことを描く場合にも役立つ**と思います。たとえば、漫画に登場する中世の人の服を作りたい、アメリカの酒場の雰囲気をリアルに描写したいというときに、すぐに参考画像を出力できます。

3-4-1 Midjourneyで生成した、60年代のアメリカ西部のバーカウンター

```
western bar counter in the 60's
```

そういう場合、従来はネット検索で資料を探すことも多かったのではと思いますが、**検索と比べたメリット**はどこですか？

求めているものをピンポイントで出せることが大きいですね。あと、ネット検索で見つかる画像は他者が著作権を持っているケースが多いので、その点でも**資料として使いやすい**のではないでしょうか。

画像生成AIは、絵を描く人にとってはライバル的な存在になりそうなイメージがありますが、絵を描くために必要な資料を得るための便利なツールとして役立つんですね。

Chapter3

5 画像生成AIはクリエイターの敵？ 味方？

クオリティの高い絵を簡単に生み出せる画像生成AIが登場したことで、不安を感じているクリエイターもいるかもしれません。うまく共存していくためにはどうしたらいいのでしょうか？

画像生成AIがライバルになってしまう可能性は？

先ほど、絵を描く人にとっても画像生成AIは役立つとお聞きしましたが、それでも**「自分の仕事が奪われるかもしれない」**と危機感も抱いている人もいるのではないかと思います。実際のところどうなんでしょう？

私が個人的に思っているのは、**「画像生成AIはあくまでも道具」**ということです。たしかにすごい道具ではありますが、人が使ってはじめて価値を持つものです。歴史を振り返れば、似たようなことは何度も起きているはずです。たとえばカメラが誕生したときと同じようなことが再び起きているに過ぎないと思っています。

カメラが登場したからといって、絵を描いたり鑑賞したりといった文化は廃れていませんね。

ただし、何も変化がなかったわけではなく、見たままをリアルに描く写実絵画に代わって写真が使われるようになったり、カメラでは撮れない抽象画のようなジャンルや、アニメや劇画のような写真とは異なるタッチの表現が支持されるようになったりという変化は起きたと思います。

そう考えると、「AIでは生成できないジャンルの絵」が今後流行るなんていう流れが起きる可能性もあるんですかね？

それはまだわかりませんが、現在、写真と絵が別のジャンルとして定着しているように、AIを使って生成する画像も、**絵とは別ジャンルの表現として発展していく可能性はある**かもしれません。

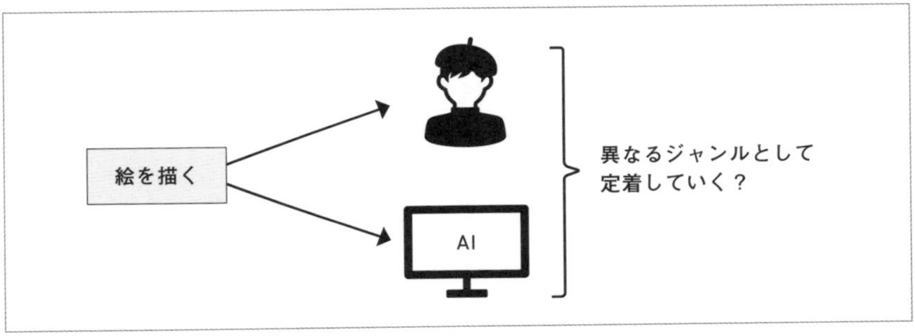

3-5-1 写真と絵が別ジャンルの表現となったように、画像生成AIも人の描く絵とは別のジャンルとして定着していく可能性がある

ちなみに、自分で絵を描くための資料やアイデア出しのために画像生成AIを使えるとのことでしたが、それが「ずるい」と受け取られてしまう可能性はないですか？

絵を描くことを助けるツールとしては、画像生成AIは今後**より一般的なものになっていく**と思います。たとえば、今はデジタル環境で絵を描く方も多いですが、それに対して「紙にペンで描かないなんて手抜きだ！」という人はあまりいないと思います。

たしかにそうですね。道具の選択に過ぎませんもんね。

それと同じように絵を描くための補助的なツールとしてAIを使うことは特別なものではなくなっていくと思いますよ。

敵か味方かのような考え方ではなく、道具として上手に活用して共存していくという意識を持つことが大切なんですね。

Chapter3
6

AIで作られた偽画像を見分ける方法はあるの?

誰もが簡単に高精度な画像を作れるようになることで、その画像が悪用されるリスクも生じてきます。AIで作られた偽画像「ディープフェイク」の問題と、その対策についても理解しておきましょう。

AIで作った画像かどうかを見極めるには?

画像生成AIが一般に広く使われるようになることで、AIで作った偽物の画像が悪用されるケースも出てきそうです。

いわゆる**「ディープフェイク」とよばれる偽画像**の問題ですね。実在の有名人が実際にはとっていない行動をとっているかのような画像が作り出されたり、事故や事件の現場写真がねつ造されて拡散されたりといったことは、どうしても起きてしまうと思います。

ネット上にそういうものが流れてきたときに、真に受けて拡散してしまったら、自分もフェイクニュースに加担することになってしまいます。**AIによって作られた画像なのか、そうじゃないのかを見極める方法**はあるんでしょうか?

画像生成AIは全体感を作り出すのは得意ですが、**細部の描写は苦手です。そこに着目すれば人間が描いたかどうかを見分けられる**ことが多いと思いますよ。

AIが作った画像のなかには細部が明らかに不自然なものもありますが、一見違和感のない画像もたくさんあります。具体的にどこを見ればわかりますか?

たとえば、服の襟元の形が不自然になっていたり、左右の瞳の形が違っていたり、右耳と左耳に別のイヤリングをつけていたり……ということがあると思います。画像を拡大して、そういったディテールをチェックしていくと見極めやすいと思いますよ。

3-6-1 Midjourneyで生成した人物。一見普通の写真のようにも見えるが、ピアスの位置や髪の毛の流れなどに違和感がある

3-6-2 リビングルームを生成。棚の一部が生成されておらず、壁にかかっている絵画のヒョウらしき動物の足の数も多い

なるほど。全体的には大きな違和感がないので、SNSのタイムラインに流れてきただけでは見落としてしまいそうですが、じっくり見ると不自然な箇所は意外とありますね。

ただしこれは、あくまでも現時点（2023年2月）の話です。今後、**画像生成AIの精度が上がれば細部の不自然さも解消されていくので、そういった部分で見分けるのは難しくなるかもしれません。**

生成結果のクオリティが上がるのは嬉しいですが、見分けがつかなくなるのも困りますね。その場合は、一体どうしたらいいんですか？

おそらくSNSのプラットフォーム側などで、AIで作った画像を判別する機能を組み込むなどの対策が進んでいくのではと思います。

偽画像を見分けるツールも開発されている

ちなみに**AIで作った画像をAIで見分ける**なんていうことも可能なんでしょうか？

偽の画像や動画を識別する技術は、各社が開発を進めています。たとえば、マイクロソフトは2020年9月に、ディープフェイクを識別するツール「Microsoft Video Authenticator」を発表しました。また、国立情報学研究所は2021年9月に「SYNTHETIQ VISION」というプログラムを、インテルは2022年11月に、「FakeCatcher」という技術を発表しています。

研究機関や大手企業がしっかり対策を進めてくれているんですね。ちなみに、偽画像を判定するAIが、その判断を間違えることもあるんでしょうか？

それはあると思いますよ。AIで作られたような画像を人間が意図的に作ることも可能ですし、すべてを完璧に見分けるのは困難だと思います。

それでも一定の識別を可能にすることで、偽画像にだまされたり、デマが拡散されたりすることを防げるということですね。

Chapter3

7 画像生成AIは全人類の表現力をワンランク上げるもの

画像生成AIは、ここまでに紹介してきたような仕事での活用以外でも、多くの場面で使われていく可能性があります。そしてそれは、人類の表現力に大きな変革をもたらすことになるといいます。

クリエイティブ分野以外ではどう活用される？

ここまでは、おもに仕事で使う場合の活用方法について聞いてきました。それ以外でも**画像生成AIが役立ちそうな場面**はあるんでしょうか？

本当にいろいろなところで変化が起きると思いますよ。たとえば、**犯罪に巻き込まれた人が、記憶している犯人の顔を再現**するときに使ったり、**整形手術を受けたい人が、手術後の顔のイメージを生成**したり、**部屋をリフォームする人が、完成後のイメージを描いたり**といった使い方も可能かもしれません。

今までは、絵が描けなければ人に伝えることが難しかった頭の中のイメージを、簡単に可視化できるようになるということですね。

そのほかには、親が子どもに物語を聞かせながら、登場する人やモノ、場面などの絵を一緒に作っていくなんていう使い方もできるかもしれませんね。

コミュニケーションツールに近い使い方ですね。子どもに絵を描いてほしいとせがまれても、自分では描けなかったという人は重宝しそうです。

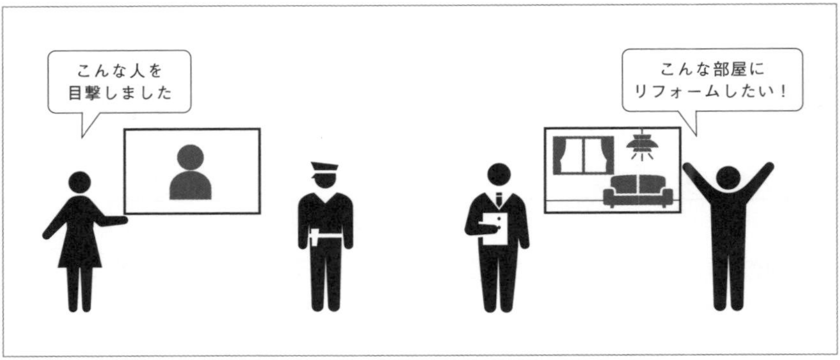

3-7-1 これまでは、絵が描けないと人に伝えることのできなかった頭で描いたイメージを、簡単に表現できるようになる

誰もが「絵を描けるようになる」インパクトは大きい

画像生成AIの登場によって、自分が考えていること、人に伝えたいと思っていることを表現できる手段が増えたという感じですね。今後、もっといろいろなところに影響が広がりそうです。

世の中に与えるインパクトの大きさでいえば、**活版印刷が登場したときや、カメラが登場したときに相当する**と思います。もう少し最近のできごとでいえば、VOCALOIDが登場したことで、自作の曲を自由な歌声で架空の歌手に歌わせることができるようになった状況にも近いといえるかもしれないですね。

VOCALOID（ボーカロイド）は、ヤマハが開発した合成音声技術。メロディと歌詞を入力して歌声を選ぶことで、ボーカル入りの楽曲を制作できる。通称「ボカロ」とも呼ばれ、「初音ミク」などの合成音声キャラクターが有名。

活版印刷やカメラの場合、それらの技術を直接使える人は限られていたと思いますし、VOCALOIDを使っているのも、もともと音楽を作れるだけの素養を持っている人や、作りたいと思っている人たちだと思います。そう考えると、**画像生成AIはそれら過去の変革よりもっと多くの人に直接影響しますね。**

そうですね。画像生成AIは、文章を入力できる人なら誰でもその恩恵にあずかることができるので、影響力は本当に大きいと思います。**「全人類の表現力がワンランク上がる」**といっても過言ではないかもしれませんよ。

単に「絵を描いて楽しめるようになる」「仕事に必要な画像を作れるようになる」といったことだけにとどまらない、表現力としてのインパクトが大きいということですね。表現力が上がった先に、どんな世界が広がっていくのか楽しみです。

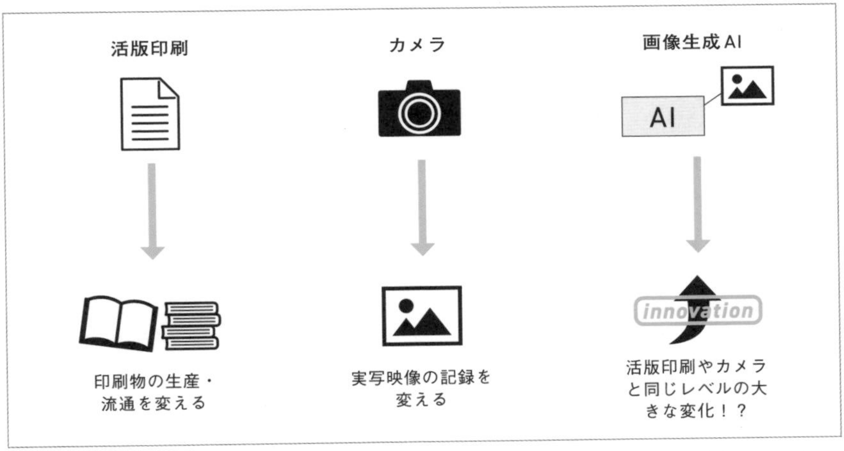

3-7-2 活版印刷の登場が書物の印刷を変え、カメラが実写映像を記録する文化を作ったように、画像生成AIの登場も大きな変革となる

column

不適切画像を出さないようにする対策はいたちごっこ

画像生成AIで意図的に不適切な画像を作ろうとした場合、どうなるのでしょうか？ 各サービスはコンテンツポリシーを定めたうえで、卑猥なものや暴力的なもの、犯罪を助長するものなどのポリシーに合致しない画像が生成されないようにするための対策を施しています。たとえばDALL·E 2で不適切なプロンプトを入力した場合、「It looks like this request may not follow ourcontent policy.」（このリクエストは、私たちの要求に従っていないようです）というメッセージと、コンテンツポリシーへのリンクが表示されます。

ただし、これらの対策もプロンプトの入力の仕方で回避できてしまう場合があるため、完全に防ぐことは難しいのが現実です。たとえば、血まみれになった人間の画像を生成できないように設定していても、「ケチャップをかけられた人間」「赤いペンキをかぶった人」のように指定することで、似たような画像を作ろうとする人はいるかもしれません。そこに対して新たな対策を施したとても、また新たな回避方法が生み出される可能性があります。不適切画像を防ぐ対策は、いたちごっこの状態になってしまうのが実情なのです。

DALL·E 2で不適切なプロンプトを入力したときの画面。画像を生成できない旨のメッセージと、コンテンツポリシーへのリンクが表示される

Chapter

4

生成した画像の著作権など法律上の問題を知ろう

著作権などのルールはどうなっているの？

法律や利用規約を理解しておこう

画像生成AIを使うにあたっては、著作権法をはじめとした法律や、各サービスやプラットフォームの利用規約といった各種のルールについての理解を深めておくことも重要となります。

法的な問題はいくつかに分けて考えることができますが、まず知っておきたいのは、画像生成AIのモデルを作る段階での学習が、どのようなルールのもとで行われているのかという点です。そしてこの段階では、法律だけでなく画像が掲載されているサイト（プラットフォーム）の利用規約なども意識する必要があります。

また、画像生成AIを使う段階では、生成した画像が他人の著作権を侵害しないようにすることが不可欠となります。そのためには、どのような形だと著作権侵害にあたるのかを正しく理解しておく必要がありますが、画像生成AIはまだ新しい分野だけに、既存の法律には当てはまらないもの、これからルールの整備が必要なことも多く、判断の難しいケースも少なくありません。その中でリスクをできるだけ抑えながら、画像生成AIを有効活用していくにはどうするべきかを考えることが必要なのです。

クリエイターが納得できる形にするには？

法律や利用規約に違反していなければよいとは限りません。自らの手で作品を生み出してきたクリエイターやアーティストをリスペクトしながら、できる限り炎上や反発を招かない方法で画像生成AIと共存していく道も模索する必要があります。同時に、クリエイターなどが自分の絵をAIによる学習に使われたくないと思った場合にできる対策や、その有効性についても知っておく必要があります。

本章ではこのほかに、海外での法整備の状況や、今後必要となるルールメイク、イラスト投稿サイトやストックフォトなどのプラットフォームの対応などについても解説しています。法的な問題は複雑になりがちですが、1つずつ論点を整理していくことで、その全体像が見えてくるはずです。

AIモデルの学習段階 （学習フェーズ）	・既存画像の学習行為は問題にならないのか ・法律と利用規約はどちらが優先される？
画像生成AIの利用段階 （利用フェーズ）	・著作権侵害の画像を生成しないためには？ ・何をもって著作権侵害とするのか ・生成した画像に著作権は発生するのか
クリエイターとの共存	・自分の絵をAIの学習に使われたくない場合は？ ・サービス提供者側はクリエイターに どう配慮する？
必要なルールメイク	・AIで作ったことを明示すべき？ ・海外の規制が日本にも影響するのか

4-0-1 画像生成AIに関係する法律や利用規約などのルールは多岐に渡る。それぞれ何が問題になる可能性があるのかを理解しておこう

Chapter4 1

他人の作品をAIの学習行為に使うことは問題ないの？

画像生成AIは、主にインターネット上の既存の画像を学習元として、独自の画像を作り出す仕組みです。そもそも、この学習行為自体は法的に問題がないのでしょうか？ 水野弁護士に聞きました。

AIによる学習が著作権法違反にならないのはなぜ？

画像生成AIは便利なツールですが、新しいテクノロジーだからこそ、活用にあたって法的に知っておかなければならないことも多そうです。どんなところから考えていけばいいんでしょうか？

AIに関する法的な問題は、AIモデルを開発する段階の**「学習フェーズ」**と、AIモデルが作られた後の**「利用フェーズ」**に分けられます。まずは学習フェーズの問題からみていきましょう。

そもそもの疑問なんですが、画像生成AIがインターネット上の既存の絵や写真を学習して、それをもとに画像を作り出すことは法的に問題ないんですか？

学習フェーズで起きる問題は、**著作権侵害になるかどうかと、学習に使う画像が公開されているプラットフォームなどの利用規約違反になるかどうか**の、主に2つの観点から考えることができます。

著作権の問題だけではないんですね。まずは著作権侵害になるかどうかから教えてください。

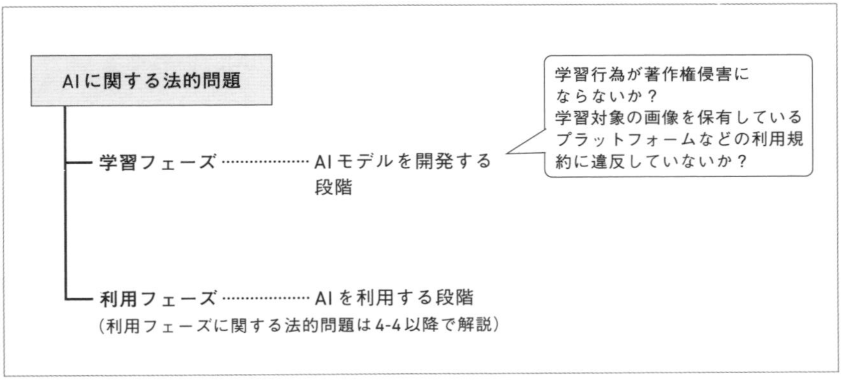
AIに関する法的問題
学習フェーズ ……………… AIモデルを開発する段階
学習行為が著作権侵害にならないか？
学習対象の画像を保有しているプラットフォームなどの利用規約に違反していないか？
利用フェーズ ……………… AIを利用する段階
（利用フェーズに関する法的問題は4-4以降で解説）

4-1-1 AIに関する問題は、学習フェーズと利用フェーズに分けられる。著作権侵害の問題とは別に学習する対象の画像を保有しているプラットフォームなどの利用規約も考慮が必要

AIの学習行為には、データに含まれる著作物をコピーする**「複製権」や「翻案権」、データをインターネットなどを通じて公衆に向けて送信する「公衆送信権」などが関係してきます。**

AIによる学習を行うプロセスで、コピー&ペーストや改変、アップロードが行われるということですね。

そうです。そして、これらの行為は、著作権法上は、原則として**権利者の許諾がないと行えない**ことになっているんです。

えっ？ でも、AIによる学習は著作権者の許諾を得ずに行っていますよね？ なぜ問題にならないんですか？

日本の著作権法では、AIの学習行為を含む**「情報解析のための利用」**に関して、非常に広い範囲で権利者の許諾なく使うことを認めているんですよ。

例外として著作物を利用することが認められているということなんですね。

はい。この「情報解析のための利用」は、著作権法上、著作物に表現された思想または感情の享受を目的としない利用、いわゆる**「非享受利用」の一類型として規定されています。**

どういう意味ですか？

著作物は「人の思想また感情が表現されているもの」で、著作物を見たり読んだりする人は、その思想や感情を受け取る（享受する）ことを目的としているというのが原則です。非享受利用は、この享受を目的にせずに利用するケースを指しています。

AIによる学習は著作者の思想や感情を享受する目的ではないから、権利者の許可なく利用できるということなんですね。

そうです。非享受利用の一類型として、「情報解析のための利用」が、2018年の著作権法改正から導入されました。ちなみに情報解析は、「多数の著作物その他の大量の情報から、当該情報を構成する言語、音、影像その他の要素に係る情報を抽出し、比較分類その他の解析を行うこと」という定義がなされています。

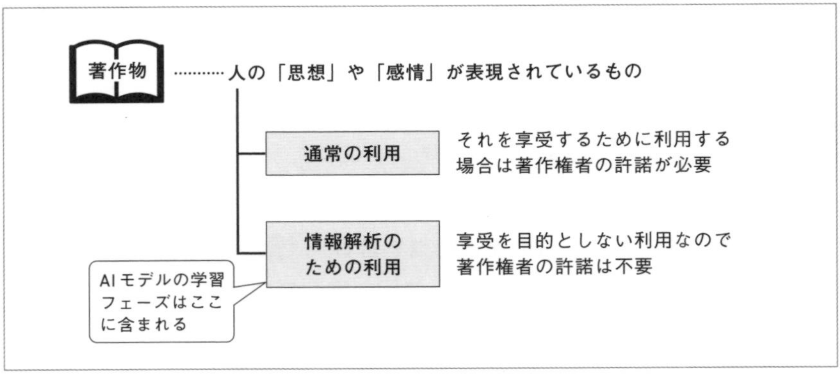

4-1-2 著作物の思想や感情を享受する目的でない場合に限り、著作権者の許可なく利用することが法律で認められている

AIの学習行為もこの情報解析に含まれるということですね。

著作権法第30条の4では、「著作物は、次に掲げる場合その他の当該著作物に表現された思想又は感情を自ら享受し又は他人に享受させることを目的としない場合には、その必要と認められる限度において、いずれの方法によるかを問わず、利用することができる。」としており、その第2号で「情報解析」が挙げられている。

ただし、情報解析なら何でも自由に行ってよいというわけではなく、条文には**「必要と認められる限度において」という条件**がついています。

なるほど。際限なく利用できるわけではないということですね。

また、条文のただし書きで、「当該著作物の種類及び用途並びに当該利用の態様に照らし著作権者の利益を不当に害することとなる場合は、この限りでない」とされています。

この「著作権者の利益を不当に害する」というのは、具体的にどんなケースのことですか？

条文ができたばかりでまだあまり明確になっていないんですが、この条文の趣旨はあくまでも非享受利用なので、**著作権者の仕事を直接奪う可能性があるような使い方については違法と判断される可能性**がありますね。

著作権者の不利益にならないように配慮したうえで、AIの学習行為などでの利用を可能にするために決められたルールなんですね。

利用規約でAIによる学習が禁止されている場合は？

著作権法の問題とは別に考える必要があるのが、画像を提供しているWebサイトやプラットフォーム側の利用規約で、AIによる学習を禁止しているケースです。この場合、**規約を無視してAIによる学習を行うと、著作権法的には問題がなくても利用規約（契約）違反となる場合があります。**

イラスト投稿のプラットフォームなどが、独自にルールを定めている場合の話ですね。そもそもの疑問なんですが、法律で認められていることを、民間のプラットフォームが規約で禁止することが可能なんですか？

実はこれは難しい問題です。国が決めた法律のルールを契約で上書きできるかの問題は、**「オーバーライド問題」**と呼ばれていて、専門家の間でも契約が有効になるという説と、無効だという説で意見が分かれています。

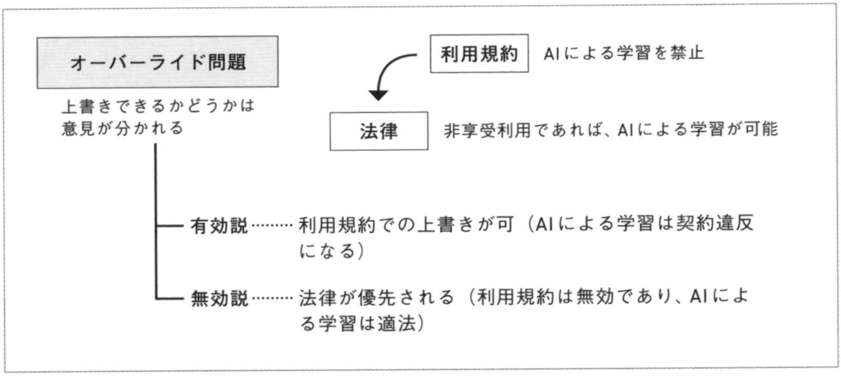

4-1-3 法律で定められているルールを、民間企業などが定めた契約で上書きできるかどうかは、意見が分かれている

それぞれの立場の意見を教えてください。

契約が有効になるという説では、「私的自治の原則」や「契約自由の原則」という、**私的領域については契約のほうが法律よりも優先すべき、あるいは契約による法律の上書きが認められるべき**だという考え方をします。

利用規約を定めたプラットフォーム側の自由を尊重する考え方ですね。

一方で、契約は無効だという説では、**法律でオープンに使ってよいと決めた領域の利用を制限することは、情報の自由利用や円滑な流通が害されるため、するべきではない**という考え方をします。

現状だと、どちらの説がより有力なんでしょうか？

どちらが強いということはなく、議論の分かれているところです。これからいろいろな事例が生まれ、議論が行われる中で、利用者やサービス提供者など画像生成AIに関わる人たちや有識者の間で最適解を探っていくことになると思います。いずれにしても、自分の作品や画像を**AIによる学習に使われたくない場合は利用規約にその旨を盛り込んでおく必要があります。**

法律では一定の条件を満たせばAIの学習が認められているものの、利用規約でAIの学習行為禁止を定められた場合にそれが効力を持つかどうかは、**現状ではケースバイケース**なんですね。

そうですね。仮に有効説に立ったとしても、その利用規約がユーザーとの間できちんと同意がとれ、契約として成立しているか、という問題もあります。一方的に宣言しているだけであったり、わかりづらい場所に書いていたりするだけではダメですよという話です。

Chapter4
2
日本の法整備は海外に比べて進んでる？ 遅れてる？

日本の著作権法では、一定の条件を満たすことでAIによる学習のために他人の著作物を使うことが認められています。海外ではどんなルールになっているのでしょうか？ 日本との違いを知っておきましょう。

海外ではAIによる学習の法的なルールはどうなっている？

日本の法律では、AIによる学習がある程度柔軟に認められているとのことでしたが、アメリカやヨーロッパなど、**海外の国や地域ではどんなルール**になっているんですか？

ヨーロッパでは、**学術研究目的での情報解析はOKで、営利目的での情報解析は権利者側が学習を禁止**することが認められています。また、アメリカの場合は**フェアユース規定**という形で法律が定められています。

フェアは公正、ユースは利用という意味ですね。どんなルールなんですか？

日本の著作権法は、著作権が適用されない個別のケースごとに条文を列挙する形をとっていて、先ほど紹介したように情報解析について条文があります。一方で、アメリカでは、いくつかの判断要素から公正な利用だと認められる場合には著作権が適用されない、という包括的・抽象的な条文があるだけで、**何が公正な利用かは事後的に裁判所で判断される仕組み**になっています。

日本の法律のように、細かい規定を定めているわけではないんですね。日本とはだいぶルールが違いますね。

日本でもフェアユース規定を導入するかどうかは、長年にわたって議論されてきました。結果的に、フェアユース規定とは異なる形で近いことを実現できるルールとして、先にお話ししたような情報解析のための利用を認める改正が行われる形に落ち着きました。

日本の著作権法と、アメリカのフェアユース規定では、どちらのほうが広範囲の利用が認められているんでしょうか？

おそらく、将来的には同等範囲が認められるようになっていくと思います。後述するように、アメリカでも画像生成AIのサービス提供者に対する訴訟が提起されていますが、現時点で裁判所がどのように判断するかはわかりません。**短期的には日本の法律のほうが広く利用範囲が認められるように見える**かもしれませんね。

日本は新しいことに対する法的な対応が遅れがちというイメージがあったので、ちょっと意外です。

日本は欧米に比べてルールが遅れていると思われがちですが、**AIによる学習に関するルールでは、世界的にもおそらく一番進んでいる国**だと思いますよ。研究者の中には、「日本の法環境は機械学習パラダイスだ」といっている人もいるくらいです。

日本の法律は、それぐらい広範囲な学習を権利者の許諾なく認めているということなんですね。

Chapter4 3

自分の絵を学習に使われたくない場合は？

自分で描いた絵をAIによる学習に使われたくないと考えている場合、クリエイター側でできる対策はあるのでしょうか？ 法律との関係や、利用規約を設ける場合のルールなどについて知っておきましょう。

クリエイター側で対策はできる？

絵を描いているクリエイターの中には、**自分の絵を画像生成AIの学習に使われたくない**と考える人もいると思います。その場合、何かできる対策はあるんでしょうか？

先ほどもお話ししたとおり、AIの学習行為のためにインターネット上の画像を使うことは、法的に認められています。なので、**法的に確実にAIによる学習を阻止できる方法というのは、実はないん**ですよね……。

自分の作品を掲載するサイトに利用規約を設けてAIによる学習を禁止することで、一定の制約にはなるということでしたよね？

そうですね。ただこれも、法律と利用規約のどちらを優先するかというオーバーライド問題があるので、確実に学習されるのを防げるとはいいきれません。

オーバーライド問題は、著作権法より、個々のサービスの規約が優先されるかどうかの問題。現状では明確な結論が出ていない（4-1参照）。

確実ではないとはいえ、何もしないよりは規約を設けておいたほうがよいという感じでしょうか？

そうですね。特に企業などは、規約で禁止されていれば、コンプライアンス上、それを遵守する判断をすることも多いと思います。

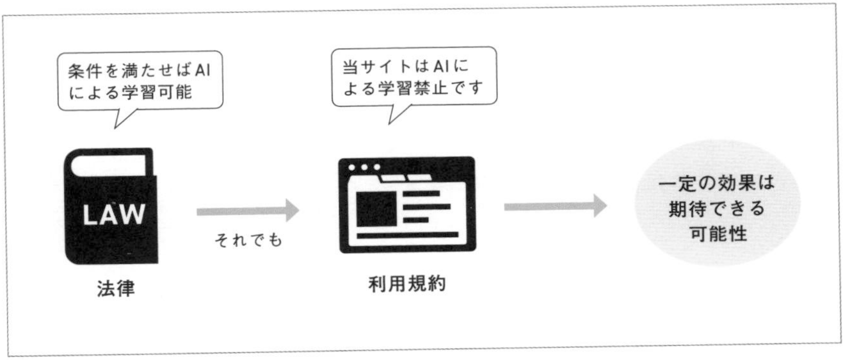
条件を満たせばAIによる学習可能
当サイトはAIによる学習禁止です
LAW
法律
それでも
利用規約
一定の効果は期待できる可能性

4-3-1 確実とはいえないものの、利用規約でAIの学習行為禁止の項目を設けることで、一定の効果は期待できる

利用規約はどうやって定める？

利用規約でAIによる学習を禁止する場合、具体的にどんな形をとればいいんですか？ たとえば、自分の絵の横に「AIによる学習を禁止します」と書いておくだけでも有効なんでしょうか？

それだと一方的に宣言しているだけなので、**利用者の同意を得たことにならない**ため、注意が必要ですね。

書くだけではだめなんですね。「AIによる学習禁止」を有効なものにするためには、どうしたらいいんでしょうか？

契約として成立させるためには、**同意ボタン**などで利用規約に同意を得ると確実ですが、少なくとも**わかりやすい場所に利用規約・利用条件として掲示しておく必要がある**でしょう。

なるほど。もし、自分で運営しているサイトでそういうルールを設けたい場合、最初に利用規約に同意してもらう仕組みを作る必要があるということですね。

その場合も、オーバーライド問題として法律が優先される考えのもとに、利用規約が無効とされる可能性はありますが、とりあえず現時点でできる対策にはなると思います。

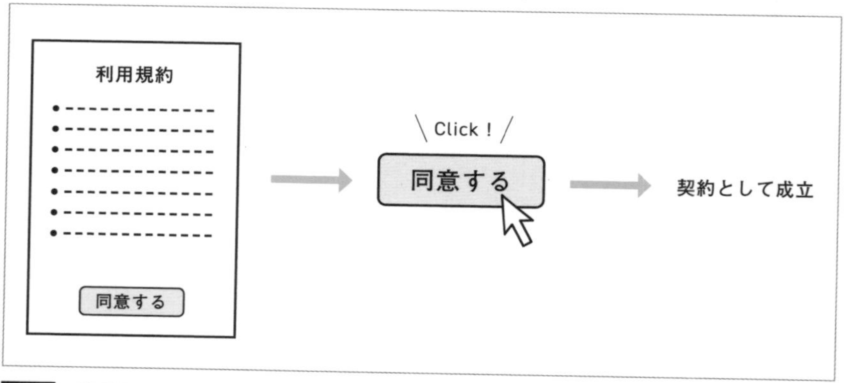

4-3-2 利用規約を設ける場合、原則として規約内容を明示的に示し、利用者に同意ボタンを押してもらう等のプロセスが必要

ちなみに、明確に同意ボタンを押さないと、利用規約が有効にならないというのは、どのサイトでも同じですか？ 同意ボタンを押さずに使っているサービスもあるような気がします。

例外として、大手のプラットフォームなど、不特定多数の利用者に対する取引を担っているケースでは、**利用者側の明示的な同意がなくても合意したとみなす「定型約款」として認められるケースもありますよ。**

倫理的な問題も配慮する必要がある

自分の絵を確実にAIに学習されないようにするのは結構困難なんですね。法的には問題がないとはいえ、頑張って描いた絵が利用されることを快く思わない人もいるんじゃないですか？

それは**法的な問題とは別に考える必要**がありますね。画像生成AIはアーティストやクリエイターがこれまでに作り上げたものを使っているので、それにフリーライド（ただ乗り）していると見られた場合にどうしても批判されやすい部分があるんです。

アーティストやクリエイターに対するリスペクトや、その人たちが不利益を被らないようにする配慮があるといいですよね。

そうですね。そこはやはり、**画像生成AIサービスの提供者も利用者も配慮していかなければならないところかなと思っています。**最近では、このようなアーティストやクリエイターの心情に配慮して、パブリックドメインやCC0（148ページのコラム参照）といった法的に問題のない画像のみで学習した画像生成AIも登場しています。

そんなサービスがすでにあるんですね。倫理的な問題もこうした配慮によって今後さらに改善が期待できそうです。

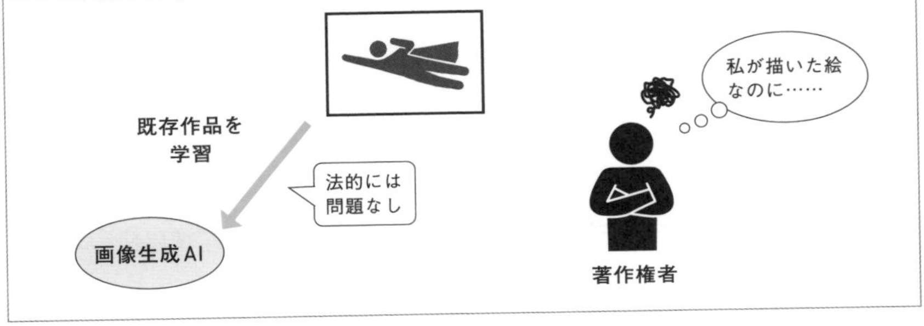

4-3-3 法的に問題がなくても、クリエイターから反発をまねく可能性がある。倫理的な問題への配慮も必要

Chapter4
4 AIの生成物に著作権は認められるの？

画像生成AIで生成した画像には、著作権が認められるのでしょうか？その基本的な考え方や、認められるケースと認められないケースの線引き、今後どうなっていく可能性が高いのかなどを知っておきましょう。

画像生成AIで作った「作品」に著作権はある？

ユーザーが画像生成AIを使う場合の法的問題についても教えてください。そもそも、**画像生成AIで作った画像には、著作権は発生するんでしょうか？**

最初にお話しした学習フェーズと利用フェーズのうち、利用フェーズにあたる部分ですね。AIを含む機械が、**人が関与することなく自動的に作った生成物に対しては、基本的に著作権が発生しない**ことになっています。

つまり、著作物ではないということですか？

原則としてはそうですね。著作物に該当するためには、**人の思想や感情を創作的に表現した「創作意図」があること、創作過程において具体的な表現結果を得るための人による「創作的寄与」があることが必要**だと考えられているためです。

創作意図や創作的寄与があるかどうかは、何を基準に決められるものなのでしょうか？

AIに直接関係ありませんが、わかりやすい例として**「サルの自撮り著作権紛争」**という、ちょっとユニークな先例があります。これは、野生のサルが写真家の所有するカメラを操作して自撮り写真を撮影し、その写真についての著作権が争われたものです。

サルの自撮り著作権紛争は、イギリスの自然写真家がインドネシアで撮影した写真について行われた裁判を含む一連のトラブル。写真家が三脚に固定したカメラをサルが操作できるようにセットし、野生のサルがそれを使って「自撮り写真」を撮影。その著作権の所在が争われた

カメラをその場に持ち込んだのは写真家ですが、撮影したのはサルということですね。この場合はどうなったんですか？

動物が撮影している以上著作権がないということになったんです。AIの生成物も同様に、人が具体的な表現結果に創作的な関与をしていなければ著作権は認められないというのが前提となります。

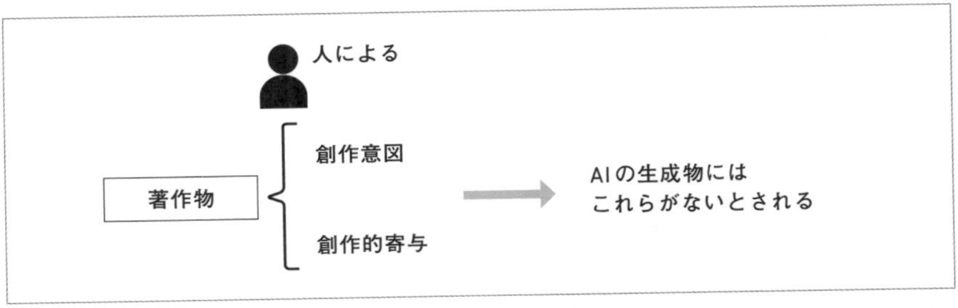

4-4-1 著作権が認められるには、人による創作意図や、創作的寄与が必要になる。AIの生成物には、原則としてこれらがないとされる

画像生成AIで作られた作品の著作権が問題となったケースもすでにあるんでしょうか？

2022年に、「クリエイティビティ・マシン」というAIを使って作ったアート作品の著作権が、アメリカの著作権局の登録審査で却下されたという事例があります。

裁判ではなく、審査ですか？ どういうことでしょう？

アメリカの場合、著作権についての裁判をするためにはまず著作権登録という手続きが必要になるのですが、その登録申請が却下されたということですね。

裁判の前の段階で、著作権を持つ可能性が否定されてしまったという感じですね。それ以外にどんな例がありますか？

Midjourneyを使って絵を描いた『Zarya of the Dawn 』というグラフィックノベル作品の例があります。当初、いったん著作権登録が認められたのですが、その後、米国著作権局は画像部分については登録を取り消しました。

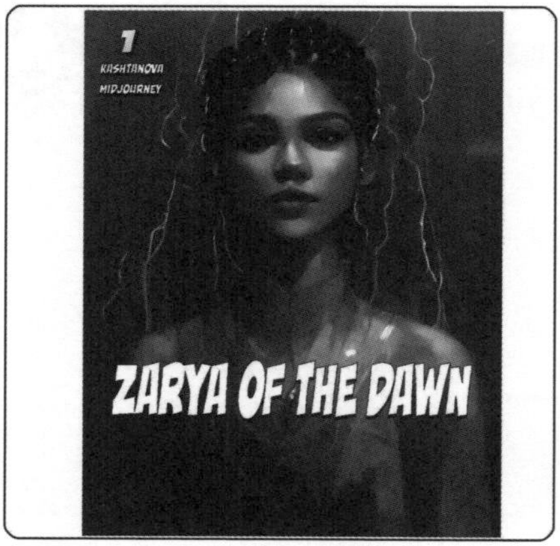

4-4-2 AIで生成された絵を使った『Zarya of the Dawn』（夜明けのザーリャ）出典：https://aicomicbooks.com/

一度は認められたのに、そのあと取り消されたのはなぜですか？

登録後に画像部分がMidjourneyで生成されたことが明らかになったためです。Midjourneyにおけるプロンプトは具体的な表現結果を生み出すための指示ではなく、自動的に動作する機械が生成したものと判断したようです。

画像そのものの著作権が認められるのは今後も難しいでしょうか。

著作権局の判断に対してアーティスト側は異議申し立てをするようですし、今後、裁判所でも争われていくことになるかもしれません。簡単には結論が出ない難しい問題です。

ちなみに、**著作権が認められた場合、その著作権は誰が持つ**ことになるんでしょうか？

原則として、画像生成AIを利用した人、つまり**プロンプトを打ち込んで画像を生成した人に著作権が発生する**ことになります。画像生成AIの提供者ではありません。

著作権が認められる線引きはどこ？

いくつか事例をお聞きしましたが、どうも線引きがわかりません。著作権が認められるかどうかの基準はどこにあるんですか？

正直にいうと、現時点では誰もわからないという状況です。いろいろな考え方がありますが、**短い単語から成るプロンプトを入力してボタンを押しただけの生成物については、著作権が否定される可能性が高い**と考えられます。

長いプロンプトなら著作物として認められるのでしょうか？

現時点で回答するのが難しい問題ですが、意図した画像を生成するために、ある程度の長さのプロンプトを作成したり、生成画像を確認しながらプロンプトを調整したり、生成画像を取捨選択したり、生成画像を別のソフトウェアなどにより修正したりするなど、**生成過程や生成後に試行錯誤や工夫がなされている場合には、この全部または一部の関与について創作的寄与が認められる可能性はある**と思います。

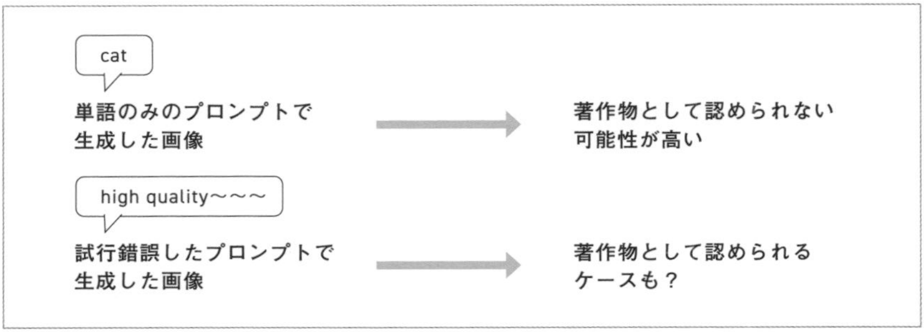

4-4-3 画像生成AIの生成物であっても、人によって試行錯誤されたプロンプトが使われている場合は、著作権が認められる可能性もある

生成した画像について**著作権を主張したいのであれば、生成過程や生成後の試行錯誤、工夫をログ化しておくことが必須**になるでしょう。一方で、画像生成AIをカメラやパソコンと同じようなツールと位置づけていくのであれば、**人による関与がある程度あれば、比較的低いハードルで著作権を認めざるを得ないという方向性になる可能性**もあります。

画像生成AIで作品を作る人にとっては、そのほうがメリットがありそうに思いますが、弊害などもあるのでしょうか？

本当にそれでいいのかという点は考えていく必要があるかもしれませんね。というのも、著作権は原則として著作者の死後70年も存続します。**生前を合わせると100年近くその作品を独占できる非常に強い権利**です。

著作権者の死後70年間は権利が保護されるという著作権法のルールでしたね。

画像生成AIは大量の画像を生成できるので、その一枚一枚にそれだけ長期間の独占権を与えてしまうと、情報の流通や自由利用、表現の自由を阻害しないかという視点も重要だと私は思っています。

プロンプトに著作権はある？

ところで、AIが作った画像に著作権が認められた場合、**プロンプトにも著作権は発生するんでしょうか？**

プロンプトは単語の羅列ですが、これが普通に文章として創作的であれば、プロンプト独自の著作権が認められます。ただし、多くの場合そうではないと思うので、**プロンプト独自の著作権が発生するケースは極めて例外的**だと思います。

生成結果としての画像ではなく、プロンプト単独で考えるということですね。

ただし、プロンプトを文章ではなくプログラムの一種のようなものと考えた場合、プログラムの著作物のように、プロンプト単体での創作性を観念できるかもしれません。この分野が成熟していった先にはプロンプト独自の創作性が認められるケースが出てくる可能性もゼロではないかもしれませんね。

ここまでにお聞きした話をまとめると、画像生成AIで作った画像には、原則として著作権はないけれど、人がプロンプトを試行錯誤して作り出している場合には、著作権が認められる可能性もある。その場合、著作権は画像生成AIを使った人が持つことになる。そして、現時点ではプロンプト自体には著作権は認められない可能性が高いということですね。全体像が見えてきました。

Chapter4
5 他人の著作物に似たものを作るとどうなる?

画像生成AIを使って他人の著作物によく似た画像を作った場合、著作権上はどのような問題が起きるのでしょうか? 画像生成AIの利用者が著作権を侵害してしまうケースについても知っておく必要があります。

著作権侵害となるのはどんなとき?

利用者が画像生成AIで作ったものが、**他人の著作物を侵害してしまう可能性**についても教えてください。画像生成AIを使って既存の作品によく似た画像を作った場合、それは著作権侵害になってしまうのでしょうか?

まず、著作権侵害が成立するためには、**「依拠性」**と**「類似性」**が必要になると考えられています。

依拠性というのはどんなものですか? 聞き慣れない言葉です。

その**既存の作品にアクセスして、それを参考にして作った**ということですね。著作権法では、意図せずに偶然似てしまった場合については著作権侵害としないという重要なルールがあるんです。独自創作ともいいます。

作品を作るにあたって、既存作品を参照しているとみなされた場合、依拠性があるということになるんですね。

もう1つの類似性は、似ているか・似ていないかの判断になります。判例上の言葉を使うと、**「当該著作物の表現上の本質的な特徴を直接感得できるかどうか」という基準**になります。

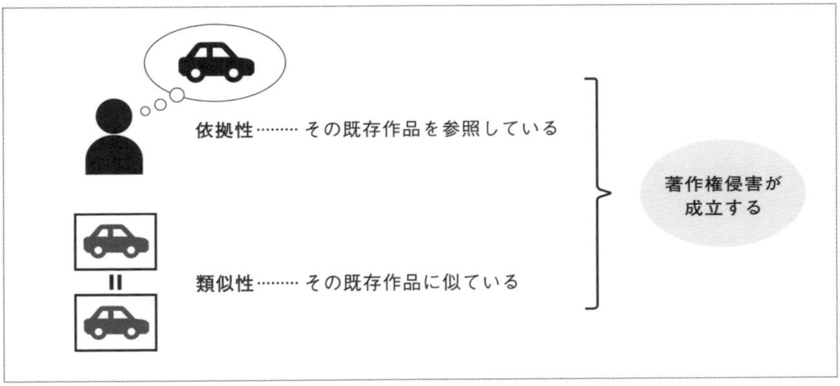

依拠性……… その既存作品を参照している
類似性……… その既存作品に似ている
著作権侵害が成立する

4-5-1 著作権侵害にあたるかどうかは、既存著作物への依拠性と類似性を基準に判断される

「似ている」の基準はどこ？

類似性が認められるかどうかは、何を基準に決まるんでしょうか？「○○風の絵」とか、「作風があの作品に似ている」程度でも問題になる可能性はありますか？

画風や作風、世界観のような部分が似ているだけであれば、著作権侵害にはなりません。著作権上の類似性とは、**表現の具体的な特徴を既存の著作物と比較することがルール**になっています。

漫画の特定のコマやアニメの一場面をそっくりそのまま再現するようなケースはダメということでしょうか？

そうですね。著作権法上の類似性が認められるという結論になると思います。

では、プロンプトで「○○風」と入力すること自体は問題にならないということですか？

生成した画像が「○○風」の画像にとどまっていれば問題はありません。ただし、このあとお話しするように、具体的な表現が一致または類似している画像を生成した場合には、著作権侵害が認められるケースも出てくると思います。

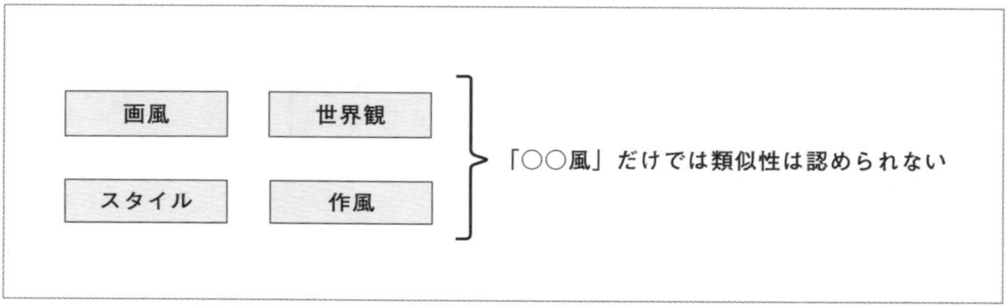

4-5-2 画風や作風が似ているだけであれば、類似性があるとは認められず、著作権侵害にはあたらない可能性が高い

著作権を侵害するとどうなるの？

では、もし自分が画像生成AIで作った絵が著作権侵害と認められた場合、どうなるんでしょう？

著作権侵害が成立すると、**「差し止め請求」や「損害賠償請求」が行われ、場合によっては刑事罰が科せられる**場合もあります。

損害賠償は、もとの作品の著作権者にお金を支払うということですね。差し止め請求というのは、どんな請求ですか？

「画像を使わないでほしい」「公開されているものを取り下げてほしい」という主張には応じなければならない、ということになります。

著作権を侵害すると、差し止め請求と損害賠償請求の両方に従わないといけないんですか？

それはケースによって異なりますね。**差し止め請求は著作権を侵害した側に過失がなくても認められますが、損害賠償請求については、故意または過失がないと認められないことになっている**んです。仮に利用者が画像生成AIを利用して既存の作品と類似する画像を生成して公開した場合でも、利用者が既存作品を学習していることを知らない場合には故意は認められないでしょうし、過失も否定される場合もあるかもしれません。

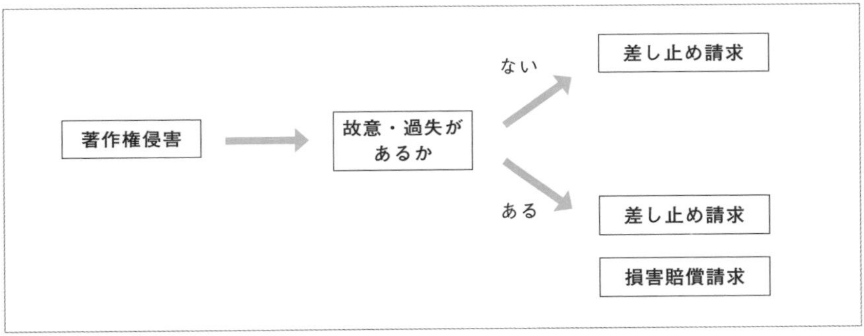

4-5-3 損害賠償請求は、著作権を侵害した側に故意または過失がある場合に限って認められる

意図的に他人の作品に似せた場合はどうなるの？

具体的なケースについて教えてください。たとえば、鉄腕アトムによく似た画像を作りたいと思い、プロンプトに「鉄腕アトム」「手塚治虫」などの言葉を入れ、結果として鉄腕アトムそっくりの画像を生成した場合はどうなりますか？

この場合、画像を生成した人は鉄腕アトムという作品の存在を知っていて、似た画像を作り出そうとしていますね。

そうですね。悪意があると取れるかもしれません。

さらに、そっくりの画像が生成されたということは、その画像生成AIのモデルは、手塚治虫の作品を学習していることになると思います。つまり、**依拠性も類似性も認められる**ことになります。

差し止め請求も損害賠償も認められるということですね。意図的に似たものを作り出していることを考えると、この結果は納得できる気がします。

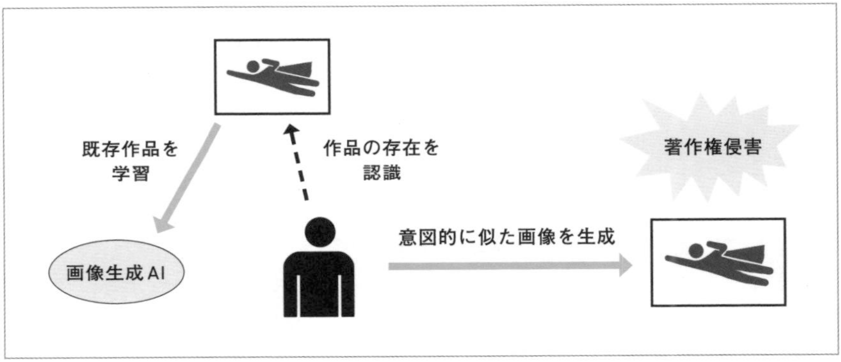

4-5-4 既存作品を学習している画像生成AIで、意図的にその作品に似せた画像を生成した場合、著作権侵害となる可能性が高い

AIが学習していない作品に似たものを作ったら？

ちなみに、こんな場合はどうなりますか？ その画像生成AIのモデルでは、手塚治虫の作品を学習していなかったけれど、利用者がプロンプトを工夫して、意図的に鉄腕アトムにそっくりの画像を作り出したようなケースです。

その場合も、画像生成AIの利用者は鉄腕アトムの存在を知っていたことになるので、依拠性が認められます。さらに、そっくりの画像を生成したということであれば、類似性も認められることになりますね。

65ページで深津さんもトラブル防止のためにプロンプトには具体的な作家名などを入れるのは避けたほうがよいと説明していましたね。プロンプトにその言葉を使用すること自体は適法ですが、**生成した画像について依拠性・類似性が認められやすくなってしまう懸念があるため、法的な面からも避けたほうがよいといえそうです。**公開するものについては特に注意が必要ですね。

使用した画像生成AIがその作品を学習していたかどうかに関わらず、意図的に似せようとした結果として、似たものが作られた場合は依拠性も類似性も認められるんですね。

とはいえ、もとのAIモデルが学習していない画像にそっくりなものを出力するのは、現実問題として難しいかもしれないですよ。

著作権侵害にあたるかどうかは、**「画像生成AIのモデルが、その既存作品を学習しているか」「画像生成AIを使った人が、既存作品の存在を認知しているか」「生成された作品が、既存作品に類似しているか」の3つのポイントで考える**ということですね。意外と複雑です。

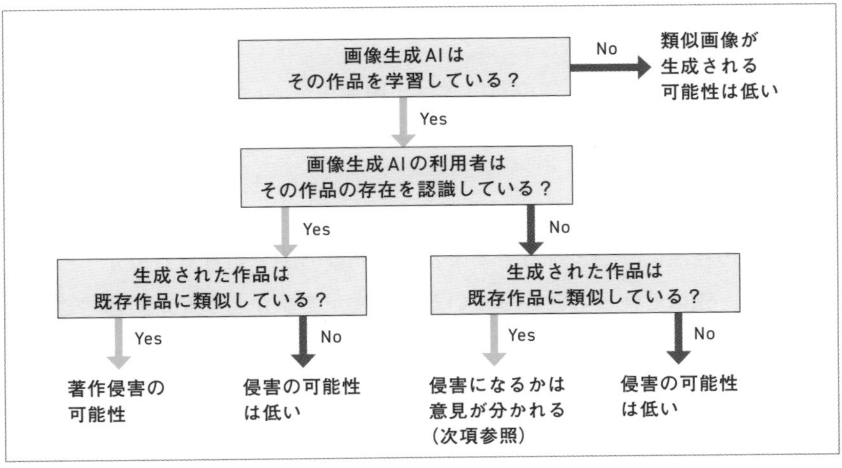

4-5-5 AIがその作品を学習しているか、その作品を知ったうえで生成しているか、生成画像が既存作品に類似しているかを軸に考える

Chapter4 6

たまたま他人の作品にそっくりの画像ができたらどうなる？

画像生成AIで作った画像が、他人の既存作品に類似していたものの、自分はその作品の存在を知らないために気づくことができなかったケースでは、どうなるのでしょうか？ 具体的に教えてもらいました。

真似するつもりがなかった場合も罪になる？

画像生成AIはいろいろな作品から学習しているので、自分がまったく知らない作品によく似た画像が、**偶然生成されてしまう可能性**もあるのではと思います。その場合はどうなりますか？

実は、**これが一番問題**なんです。画像生成AIの利用者がその既存作品の存在も、**AIが学習していることも知らずに類似した画像を生成してしまっても、AIがその作品を学習していれば、著作権侵害は成立してしまう可能性がある**んです。

でも、ほとんどの利用者は、画像生成AIがどんな作品を学習しているかなんて知りませんよね。それを著作権侵害といわれても困ります。

利用者の視点に立つとそうですよね。専門家の間でも意見が分かれていて、先ほどからお話ししている依拠性があるかどうかが問題になります。

既存作品へのアクセスがあったかどうかというものですね。

著作権侵害が成立するという説では、画像生成AIの利用者がその既存作品を知らなくても、AIモデルがその作品を学習している以上、アクセスは途切れないという考え方になります。

「学習が行われている＝その作品にアクセスしている」とみなすということですね。

一方で、学習においてアクセスしていても、**AIモデルが出力する段階ではブラックボックス化しており、依拠性は途切れるという考え方もあります**。こちらが著作権侵害は成立しないという説です。

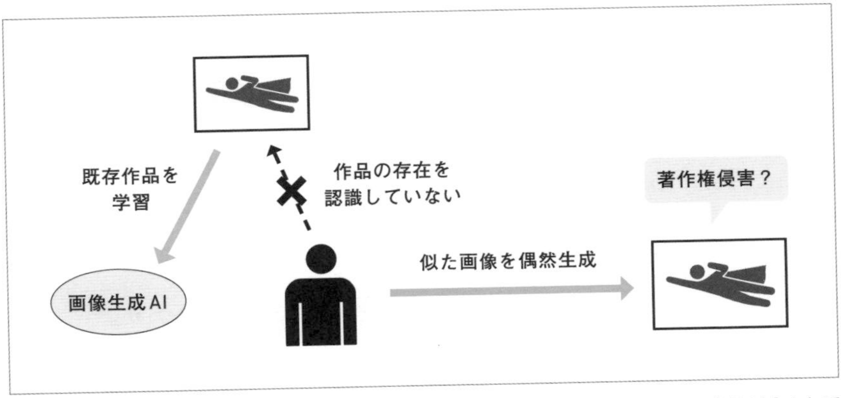

4-6-1 意図せず既存作品に似た画像を生成した場合に著作権侵害にあたるかは、意見が分かれている

著作権侵害が認められるという考え方をする場合ですが、たとえば、偶然生成された画像が鉄腕アトムに似ていたら、「これは使わないほうがいい」という判断ができると思います。

でも、自分がまったく知らない作品に似た画像が生成された場合、**既存作品に似ているという事実に気づくことができない**と思います。それでも著作権侵害になる可能性があるということですか？

そうなりますね。現状では、依拠性があるとする説、ないとする説のどちらが有力ということはなく、結論が出ていない状態です。AIのモデルごとに、どのように画像を生成しているのかの過程が異なるので、**AIモデルごとに判断が異なってくる**可能性もあるかもしれません。

それは対策のしようがないですよね。

ただし利用者が既存作品の存在も、学習されていることも知らない場合、**故意や過失はないとされて、損害賠償は認められず、差し止め請求のみとなる可能性が高い**と思います。

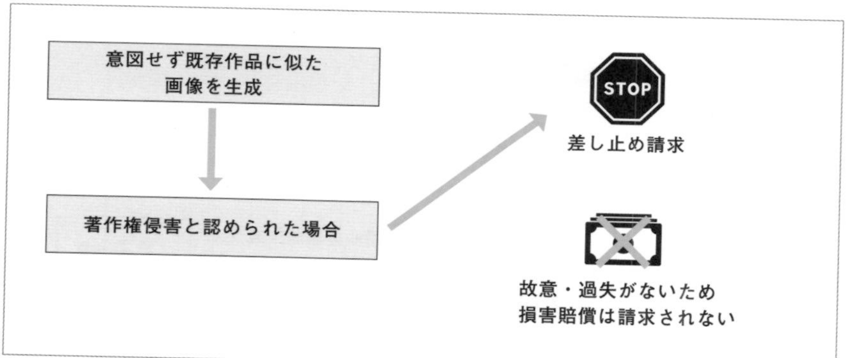

4-6-2 AIが既存作品を学習していて、著作権侵害が認められる場合でも、利用者が認識していなければ損害賠償請求は請求されない可能性が高い

故意なく似てしまうのを防ぐことはできない？

自分が意図したわけではないのに、既存作品に似たものが作られてしまう可能性があるのは、少し怖いなと思います。これを防ぐ方法はないんでしょうか？

AIモデルを開発する側では、学習した著作物と類似した画像が生成されないようにパラメーターを調整したり、禁則事項を細かく設定したりといった調整は行われていると思います。

それでも、完全に防ぐのは難しいということですか？

やはり優秀なAIであるほどブラックボックスになりがちなので、**偶然似たものが生成されてしまう可能性は否定しづらい**です。

企業が業務の中で画像生成AIを使おうとした場合には、大きなリスクになりそうですね。どうにかならないんでしょうか……。

利用者が気の毒ではという意見もわかりますが、もとの作品の権利者側の立場からすると、モデルが学習している以上、依拠性を認めるべきだという考え方も一理あるんですよね。

たしかに、自分が著作権者だったとしたら、作品を真似されて「知らなかったから許してください」はちょっと困りますね。立場によっても見え方が違ってきそうです。

最終的には、**問題が起きたときに裁判所が判断する**ことになると思います。ただ、せっかく著作権法の規定で学習行為が幅広く適法とされたのに、出力フェーズでこの解釈がとられてしまうと画像生成AIを安心して利用することができないので、法律の規定で明確化すべきという意見も出てきそうです。

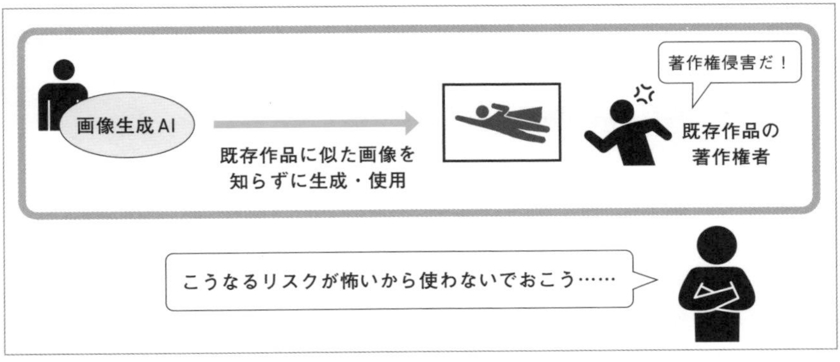

4-6-3 知らないうちに著作権侵害となる可能性があることが、企業での画像生成AI活用のハードルとなっている面もある

Chapter4

7 画像生成AIの利用時に意識しておくべきルールは?

画像生成AIをビジネスもしくは個人で利用するとき、法律やルールの面でどのような点に注意すればよいのでしょうか？トラブルを招かず安全に使うために意識すべきことを水野弁護士に聞きました。

利用時に注意すべき法的な問題は？

ここまでのお話をふまえて、**個人や企業が画像生成AIを使うときは、どんなことに注意**したらいいですか？

利用規約の問題と著作権侵害の問題を分けて考えましょう。まず、利用規約については、多くの画像生成サービスでは、現状では利用者に対して強い制約はかけていないケースが多いですね。

個人で利用する場合にはそこまで神経質になる必要はないということですね。業務で使うような場合は別ですか？

生成した画像を企業が自社製品の一部に使うような商用利用の場合は、利用規約で制限が設けられているケースもあるので、**利用するサービスの規約をよく確認**したほうがいいですね。

たとえばMidjourneyの場合、年間収益が1万米ドルを超える企業が利用する場合には、法人会員プランの購入が必要としている。

著作権侵害の問題について、改めて気をつけるべき点を教えてください。

ここまでに説明してきたように、**プロンプトに著作権が切れていない具体的なアーティスト名や作品名を入れることも避けたほうが安全でしょう。また既存著作物に類似したものを生成し、その依拠性が途切れていないという見方がなされた場合にリスクが生じます。**

その著作物が学習されていることを知らなくても、類似のものが生成された場合に著作権侵害になり得るという点ですね。でも、それは気をつけようがない気がします……。

商用利用の場合は、何を学習したのかを可能な範囲で調査したほうがベターかもしれませんね。たとえば、「Have I Been Trained?」というサイトでは、Stable Diffusionなどの学習元として利用されているデータセット「LAION-5B」や「LAION-400M」にどんな画像が学習されているかを検索できます。

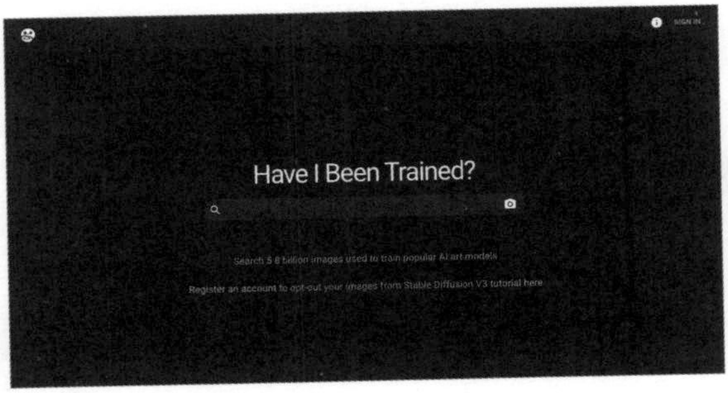

4-7-1 「Have I Been Trained?」では、Stable Diffusionなどに使われているデータセットの学習元をキーワードや画像から検索できる
https://haveibeentrained.com/

あとは、既存のキャラクターを真似して作ろうとしないなどの基本的なルールを守ることでしょうか？

そうですね。**意図的に既存作品に似たものを生成するようなプロンプトを使わないことは前提**として必要になります。

画像生成AIで作ったことは明示すべき？

ビジネスで画像生成AIで作った画像を使う場合、それがAIで作られたものであることは公にしたほうがいいんでしょうか？

今のところ、AIで作ったかどうかを明示しなければならない義務はありません。ただし、**商用利用する場合はある程度示したほうが感情的な反発を招きにくい**かもしれないですね。

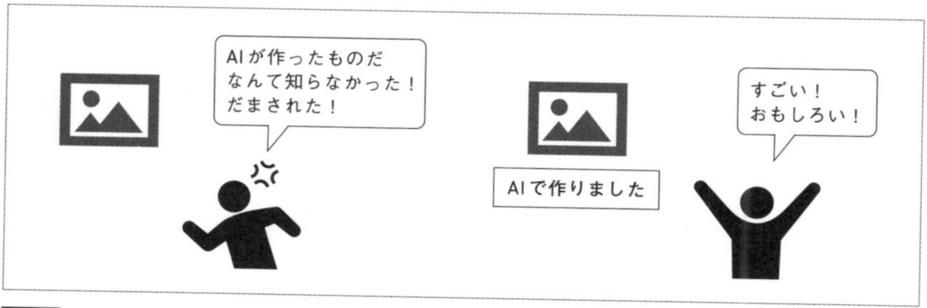

4-7-2 AIで作った画像であることを使用時に明示するルールはないが、感情的な反発を防ぐ意味で明らかにする選択もある

なるほど。炎上対策的な観点では、**明示しておいたほうが無難**ということですね。

あと、今は画像生成AI自体が目新しいものなので、AIで作ったことをオープンにしたほうが面白がってもらえるかもしれませんよ。

たしかにそうですね。**「この漫画の背景はAIで作っています」といわれたら、じっくり見たくなる**と思います。将来的には、そういった画像生成AIの位置づけも変わっていくのでしょうか？

画像生成AIが普及していくにつれ、より汎用的な素材のような位置づけになっていく可能性はあります。そうなったときにどう扱うべきかは、現時点ではなんともいえない部分もありますね。

AIで作ったものがフリー素材のような汎用的なものとなるのか、それともAIで作ったことを明示するようなルールが課せられるのかは、現時点ではわからないという感じでしょうか？

そうですね。**見た人の感情的な反発の問題に加えて、ディープフェイクなどの深刻なリスクをはらんだ問題**もあります。どの程度明示を必要とするのかは、今後ルールを整えていく必要があると思います。この問題は、後で改めて詳しくお話しますね（4-12参照）。

AIで作った画像を「人が描いたこと」にするのはNG？

たとえば、実在した故人の作家の未発表作品が見つかったと偽って、その人の画風に似せてAIで作った絵を公開するのはいいのでしょうか？

著作者ではない者の氏名を著作者名として表示し、頒布した場合、**著作者名詐称罪という刑事罰が課される可能性**があります。また、**私文書偽造罪や、販売した場合には詐欺罪の成立もあり得る**と思います。

販売せずにネット上で公開しただけなら罪にならないということですか？

著作者名詐称罪はネットで公開しただけでは成立しません。未発表作品が見つかったというだけでは名誉毀損も成立しないと思いますので、現行法では捕捉しづらい問題かもしれません。

前例がないためにこれまでの法的な枠組みでは判断しきれないケースはこれから出てきそうですね。

AIで作った絵のグッズを売っても大丈夫？

もうひとつ気になっていることがあるんですが、画像生成AIで作った絵を、ポストカードやTシャツのような、**絵そのものが商品の中心になるような形で販売する**ことは問題ないんでしょうか？

既存の著作物に類似していない、利用規約に反していないという前提であれば問題ないと思いますよ。

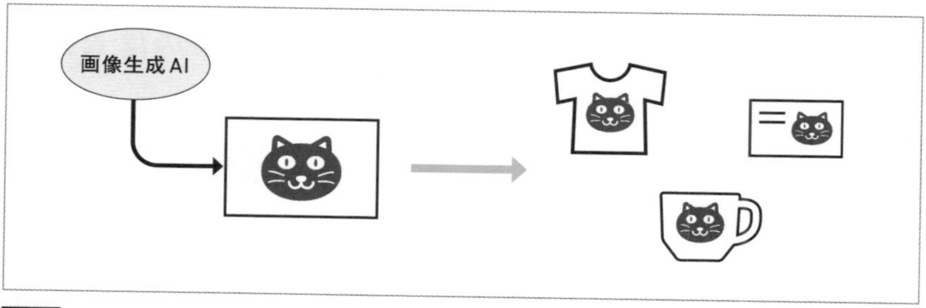

4-7-3 著作権侵害や利用規約違反がなければ、AIで生成した画像でグッズを作って販売することも問題ない

でも、AIが作った著作権のないものに価値を感じて買ってくれる人なんていないですかね……？

その作品に著作権が発生するかどうかと、それが売れるかどうかはまったく別の問題ですよ。たとえば、浮世絵はすでに著作権が切れていますが、今もそれに価値を感じて複製画などを買う人がいますよね。

なるほど。**著作権が発生していないものでも、商品として価値が認められる可能性はある**ということですね。基本的なルールを守り、一定のリスク対策を行うことで、ビジネスでも画像生成AIを活用していけることがわかりました。

Chapter4
8 法律に反していなければOKなの？

法的に問題がなければ、どんな画像でも作ってよいというわけではありません。AIによる学習時のデータの偏りに起因する差別表現が生成される可能性や、クリエイターの感情にも配慮することが大切です。

倫理的な問題への配慮も不可欠

ここまで、おもに法的な問題に関することをお聞きしてきましたが、法律や利用規約以外で、画像生成AIを使うにあたって配慮したほうがいいことはありますか？

倫理的な問題にも配慮する必要がありますね。まず意識しておきたいのは、画像生成AIの学習しているデータには偏りがあるため、生成結果にも偏りが生じる可能性があるということです。

学習データの偏りのために問題のある画像が生成されてしまうリスクは、第2章で深津さんからもお聞きしました。こういった偏りが実際に大きな問題につながったこともあるんですか？

画像生成AIの事例ではありませんがマイクロソフトのAIチャットボット「Tay」が、差別的な会話を学習して暴走した事件があります。このときは、悪意のあるユーザーが**意図的に差別的な会話をAIに学習させたことが原因**でした。

マイクロソフトが2016年に発表した「Tay」は、Twitter上でユーザーと会話するAI。一部のユーザーが意図的に差別的な会話を学習させた結果、人種差別発言を繰り返すようになり、サービス停止に追い込まれた。

この問題は、AIが学習する時点でどうにかすることはできないんでしょうか。

AIの学習データとされるインターネット上の画像や大規模なデータセットなどにはどうしても偏りがあるので、それが生成結果に影響することはAIの開発者にとっては当然の前提とされているんですよね。現時点では、それを理解したうえで利用するしかないと思います。

サービスの利用規約でも、**差別的な表現を含む画像の生成を禁止**しているケースが多いですね。

そうですね。利用規約で制限したり、そういった画像が生成される可能性があることを**注意喚起**したりするとともに、もし差別的な画像が生成された場合もサービス提供者側は責任を負わない旨を明記して**免責**を規定しているケースが一般的です。

このような問題があることを意識したうえで、プロンプトに差別の助長につながる可能性のある文言を入れない、仮に差別的な表現を含む画像などが生成された場合に流通させないようにするといった配慮が必要ということですね。

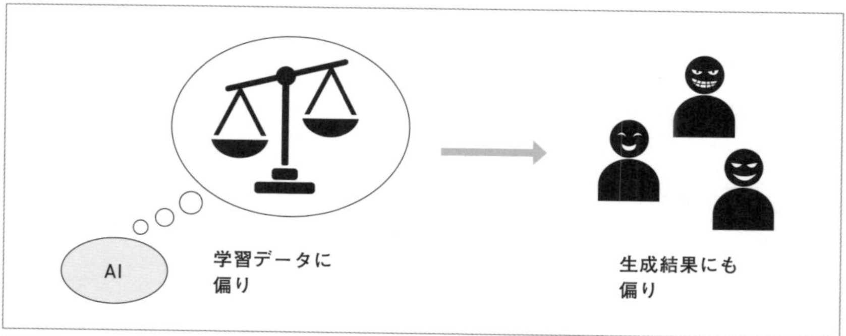

4-8-1 学習データの偏りの結果として、差別的な表現など問題のある画像が生成されてしまう可能性がある

クリエイターの尊厳を大切にしよう

倫理的な問題としてもうひとつ意識しておきたいのが、107ページでもお話しした、これまでにさまざまな作品を自らの手で生み出してきた**アーティストやクリエイターへの配慮**です。

その人たちの作品があるからこそ、それを学習元に画像生成AIが高精度な絵を作れるということになりますもんね。

そうですね。実際にImg2Img（イメージトゥイメージ。画像とプロンプトで別の画像を生成する機能）を使って**人の作品を読み込んで似た画像を作り、トラブルになっているケース**もあります。また、2023年1月には、米国のアーティストたちが**画像生成AIの開発元を相手に集団訴訟を起こした**ことがニュースになりました。

日本でも同じように訴訟にまで発展する可能性があるのでしょうか？また、その状況で画像生成AIをビジネスに使えるんですか？

集団訴訟の制度が整っている米国と日本の状況は異なりますし、日本で訴訟をしようとすると立証のハードルがそれなりにあると考えられるため、現状では日本で集団訴訟やそれに準じた訴訟が提起される様子はみられません。しかし、今後、**生成AIの広がり次第では社会問題化する可能性はゼロではない**ので、ビジネスに使う場合には慎重に判断する必要があるでしょう。

便利で自由度の高いツールだからこそ、利用する側も開発する側もさまざまな点に配慮しながら、関わっていく必要がありますね。

Chapter4 9 問題のある絵が生成されてしまったら？

意図せずに問題のある画像が生成されてしまった場合、どのように対処すればよいのでしょうか？ とくにほかのユーザーが生成画像を見ることのできる形で運営されているMidjourneyでは、注意が必要です。

公序良俗に反する絵が出たら？

画像生成AIを利用した人自身に悪意がなくても、一般的に見て問題のある画像が生成されてしまうケースがあると思います。

わいせつな画像や暴力的な画像、差別表現を含むような画像ということですね。

チャットツール上でサービスが展開されているMidjourneyの場合、その画像をほかのユーザーも見ることができてしまいますよね。

Midjourneyは、通常のプランとは別に追加料金を払って使用する「プライベートモード」を除いて、生成した絵がDiscord上で公開されてしまいますね。

そのMidjourneyで問題のある画像が生成された場合、生成した人自身がその画像を使用しないという判断をしても、ほかのユーザーが面白半分にその画像をSNSなど、Midjourneyのサービス外の不特定多数が見ることのできる場所に勝手に掲載して炎上するかもしれません。それは誰の責任になるんでしょうか？

出力した時点で公開状態になっていて、その画像が刑法上のわいせつ物に該当するような場合であれば、原則で考えると**わいせつ物頒布罪**が成立する可能性があり、生成・公開した人の責任となる可能性が高いですね。

意図せずに出力され自分ではそれを使うつもりがなくても、生成物が人の目に触れている時点で問題ということですか？

わいせつ物頒布罪の成立には故意が必要なので、本当に意図していなければ問題ありません。ただし、プロンプトなどに過度に性的なテキストを入れているのに、意図していないとの言い訳は通じないと思います。実際に立件されるかどうかも今後の運用次第です。

意図せず生成して、公開してしまった場合、問題を最小限にとどめるためにはどうしたらいいでしょうか？

Midjourneyであれば、生成結果の画像が掲載されているチャットに**利用者自身が「×」の絵文字を送ることで、その画像を削除できる**ようになっていますよ。

もし生成されてしまったら、すぐに削除するのが安全ですね。また、そもそも問題のある画像が生成されないよう、プロンプトを入力時点で注意することが大切ですね。

4-9-1 Midjourneyでは、生成結果の画像が表示されているチャットの絵文字ボタンから「×」を選んで送ることで、画像を削除できる

Chapter4
10

画像生成AIサービスを開発する場合の注意点は?

画像生成AIサービスを自社で開発する場合、どんな点に注意が必要なのでしょうか? 既存AIモデルの派生モデルを作る場合と、新たにモデル開発から手がける場合それぞれについてお聞きしました。

派生モデルを自社開発する場合は?

ここまで画像生成AIを利用するケースを中心にお聞きしてきましたが、**自社で画像生成AIのサービスを開発したい**と考える企業もあると思います。その場合に知っておくべきことはありますか?

既存のAIモデルを使うケースと、新たに学習モデル自体を開発するケースの2通りが考えられますね。

それぞれどういう点に気をつければいいんでしょうか?

まず、既存のオープンソースのモデルを使って派生モデルを作る場合、そのモデルの利用規約をしっかり確認したうえで、**規約に沿ってモデル制作を行う**必要があります。

オープンソース・ソフトウェアは、プログラムの設計図にあたるソースコードを無償公開し、自由に複製や改変を行えるようにしたソフトウェア。派生モデルとは、公開されたソースコードを使って作られた別の学習済みモデルのこと。たとえばStable Diffusionはオープンソースとして公開され、さまざまな派生モデルが作られている。

派生モデルを作ることが禁止されているのに、勝手にモデルを作ってサービスとして公開してしまうようなケースは問題になるということですよね。

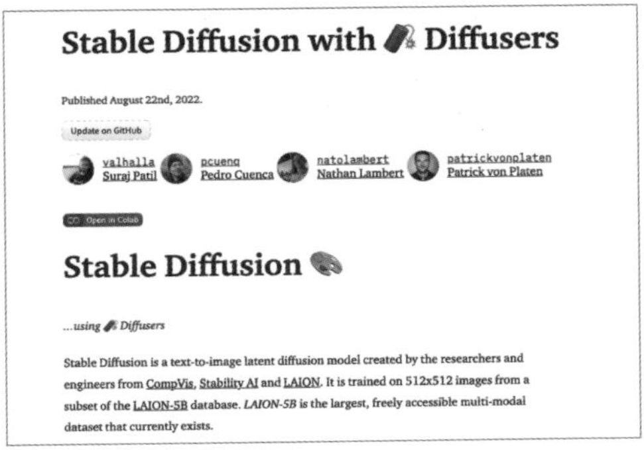

4-10-1 Stable Diffusionの利用規約ページ。再配布や商用利用を許可していることなどが記載されている
https://huggingface.co/blog/stable_diffusion

オープンソースでなくても、明示的に承諾を得たうえで派生モデルを作るようなケースはあるかもしれませんが、利用規約で禁止されているのに勝手に作るのはもちろんだめですよ。**AIモデルにもソースコードとしての著作権があるので、著作権侵害となる可能性**がありますね。

そのような場合に、派生モデルに該当しないように配慮したうえで、似たようなことを実現できるサービスを作ることは可能なのでしょうか？

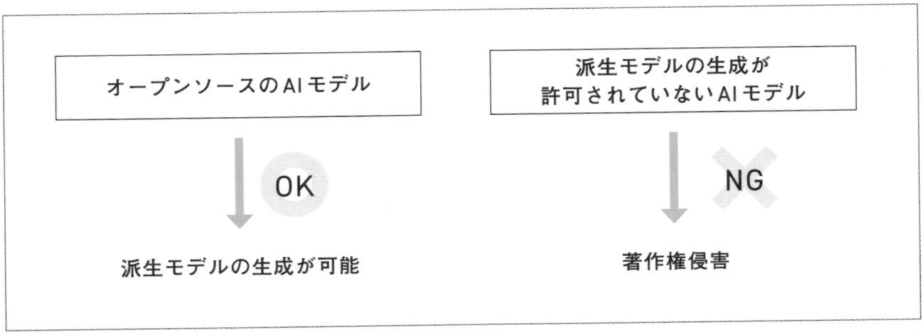

4-10-2 派生モデルの生成が許可されていないAIモデルで、勝手に派生モデルを作るようなことをすれば著作権侵害となる

製造業等でリバースエンジニアリングという言葉があります。プログラムでも同じように既存サービスのソースコードを解析する手法や、派生モデルではないものの、同じ目的を実現できるモデルを生み出す「蒸留」と呼ばれる手法は存在しますが、最近はどちらも利用規約などで禁止しているケースが増えていますね。

既存モデルをベースにサービスを作りたいのであれば、**利用規約で派生モデルの作成が認められている、オープンソースのモデルを使う必要がある**ということですね。

新たにモデルを開発する場合は？

派生モデルやそれに近いものではなく、AIモデル自体を新たに開発する場合は、どんな点に注意が必要でしょうか？

ゼロからそのモデルを作る場合、そして派生モデルを作成する際に再学習させる場合には先ほどからお話ししているように、**学習元のデータをどう取得するかがまず問題**になります。

データを取得するサイトの利用規約にAI学習禁止が明記されている場合、規約違反となる可能性があるということですね。

4-10-3 AIモデルを新たに開発する場合、学習元データの選定やサービス利用規約の設定が必要になる

その通りです。また、特定のアーティストや作品に類似した画像を生成しやすい画像生成AIをあえて開発し、サービスとして提供すると、**著作権侵害の幇助行為（手助けすること）として違法になる可能性**もあります。

生成物の類似性が認められた場合に問題になるのでしたね。

そうですね。現状では、どこまでが問題なくて、ここからはNGという明確な線引きが存在していないので、リスクを防ぐための配慮はどうしても必要になってきます。

このほかには、何が必要ですか？

派生モデル、新しいモデルどちらにもいえることですが、自社で提供するモデルについての**利用規約も用意する必要**があります。規約では、そのサービスで生成された画像の権利の帰属や、不正利用を防ぐための禁止行為、偏見や差別を助長するといった生成結果に対する免責などを定めておくとよいですね。

トラブルになりそうなあらゆる問題をあらかじめ利用規約でクリアにしておく必要があるんですね。

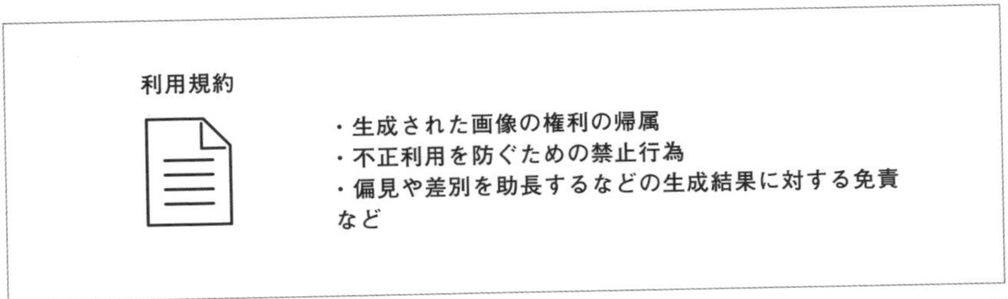
利用規約
・生成された画像の権利の帰属
・不正利用を防ぐための禁止行為
・偏見や差別を助長するなどの生成結果に対する免責
など

4-10-4 派生モデル、新しいモデルどちらにおいても、自社のサービスとして公開する場合には利用規約の作成が必要

Chapter4
11 イラスト投稿サイトや素材サイトの対応は？

これまで、人が描いたイラストや人が撮影した写真を扱ってきたサイトは、画像生成AIにどのような対応をしているのでしょうか？ 主要なイラスト投稿サイトや画像素材サイトの対応を把握しておきましょう。

各サイトで対応が分かれる

画像生成AIの登場で、人が創作することが前提だった絵や写真のあり方が変化し始めていると思います。イラスト投稿サイトやストックフォトサービスなどは、どう対応しているのでしょうか？

プラットフォームによって対応が分かれていますね。**棲み分けをしながら共存していく方向で模索しているサイトもあれば、AI生成物は扱わないと明言しているところもあります。**

共存の方向としては、どんな対応がなされていますか？

たとえば、ストックフォトサービスのAdobe Stockは、AIで作った画像であっても、**ガイドラインに沿ったものであれば掲載が可能**としています。

ガイドラインでは、AI生成物であることを明示することや、実在の人物やキャラクター、場所などを描いた作品は掲載できないことなどが示されていますね。

そうですね。一定のルールを定めたうえで、新しい技術に積極的に歩み寄っていこうという方針をとっています。

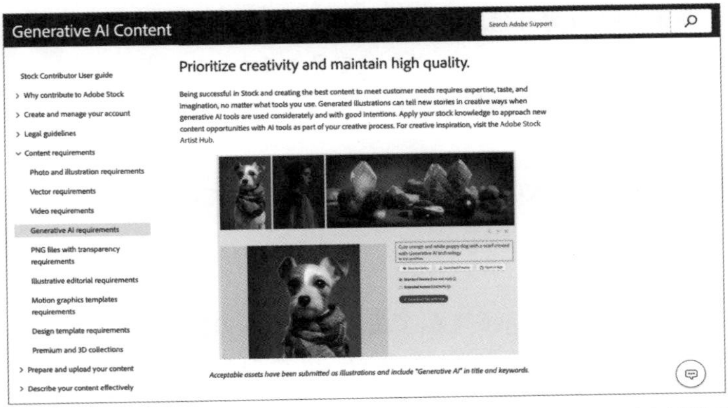

4-11-1 Adobe Stockは、ガイドラインを定めたうえで、それをクリアすればAIで生成した画像も人の作品と同様に扱う方針を決めた

このほかに、イラスト投稿サイトのpixivでは、AI作品をフィルタリングする機能や、AI生成作品のみのランキングを用意することで**人が描いた作品との棲み分け**を試みています。

AI生成作品にラベルを付けたり、ランキングを別にするだけでなく、検索結果やおすすめ作品などの一覧からAI生成作品の表示を減らす設定も行えるんですね。

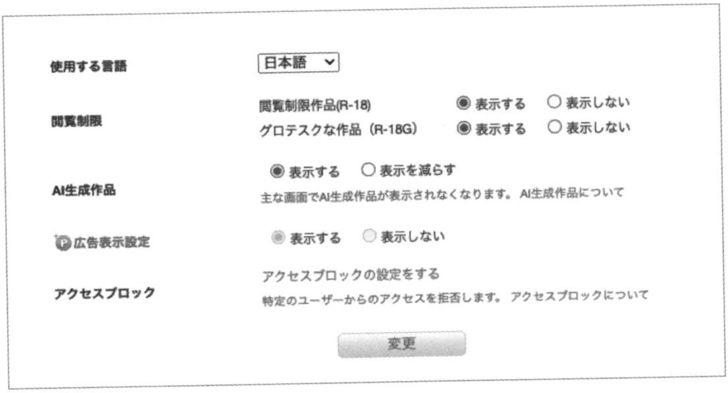

4-11-2 pixivでは、AI生成作品が表示されにくくなる設定ができる

pixivでは、**画像生成AIを「クリエイターを助ける技術」**と考える立場をとっています。フィルタリングなどで見たくない人の目に入りづらい工夫をしたうえで、排除はしないという方針ですね。

逆に画像生成AIの扱いを禁止する方針としているケースには、どんなものがありますか？

ストックフォトのGetty Imagesは**AIで生成した画像の登録を禁止する方針**としています。また、ペイントツールのCLIP STUDIO PAINTを提供するセルシスは2022年12月に、前月に導入を発表した画像生成AI機能の搭載を見送ることを決定しました。

CLIP STUDIO PAINTといえば、漫画やイラストを描く人たちの間で広く使われているツールですよね。なぜ、一度は導入を決めた機能を見送ったのですか？

この機能は、アプリ内で画像生成AIを利用できるようにするものでしたが、ユーザーからの反発の声が想定以上に大きかったようですね。公式サイトでは、お詫びの文面とともに、創作活動に携わる人が安心して利用できる機能を提供していくと表明しています。

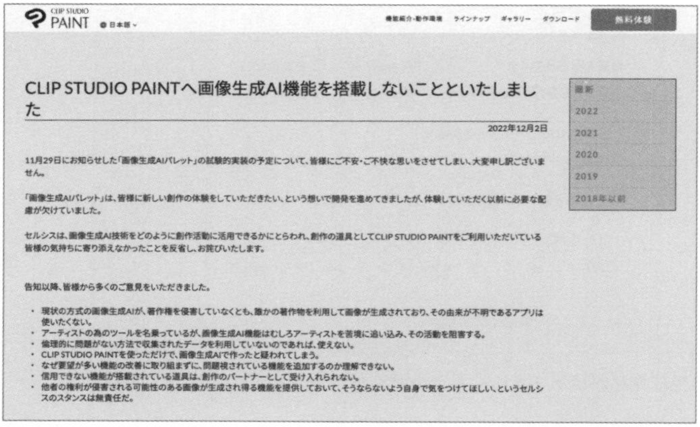

CLIP STUDIO PAINT 日本語
機能紹介・動作環境 ラインナップ ギャラリー ダウンロード 無料体験

CLIP STUDIO PAINTへ画像生成AI機能を搭載しないことといたしました

2022年12月2日

11月29日にお知らせした「画像生成AIパレット」の試験的実装の予定について、皆様にご不安・ご不快な思いをさせてしまい、大変申し訳ございません。

「画像生成AIパレット」は、皆様に新しい創作の体験をしていただきたい、という想いで開発を進めてきましたが、体験していただく以前に必要な配慮が欠けていました。

セルシスは、画像生成AI技術をどのように創作活動に活用できるかにとらわれ、創作の道具としてCLIP STUDIO PAINTをご利用いただいている皆様の気持ちに寄り添えなかったことを反省し、お詫びいたします。

告知以降、皆様から多くのご意見をいただきました。

- 現状の方式の画像生成AIが、著作権を侵害していなくとも、誰かの著作物を利用して画像が生成されており、その由来が不明であるアプリは使いたくない。
- アーティストの為のツールを名乗っているが、画像生成AI機能はむしろアーティストを苦境に追い込み、その活動を阻害する。
- 倫理的に問題がない方法で収集されたデータを利用していないのであれば、使えない。
- CLIP STUDIO PAINTを使っただけで、画像生成AIで作ったと疑われてしまう。
- なぜ要望が多い機能の改善に取り組まずに、問題視されている機能を追加するのか理解できない。
- 信用できない機能が搭載されている道具は、創作のパートナーとして受け入れられない。
- 他者の権利が侵害される可能性のある画像が生成され得る機能を提供しておいて、そうならないよう自身で気をつけてほしい、というセルシスのスタンスは無責任だ。

最新
2022
2021
2020
2019
2018年以前

4-11-3 CLIP STUDIO PAINTを提供するセルシスは、2022年12月に画像生成AI機能の見送りを発表するとともに、ユーザーに向けて謝罪する文面を公開

画像生成AIで作ったものをどう扱うかは、今後もこのような形で各プラットフォームが独自に決めて行くことになるんでしょうか？

そうですね。法律で一気に決めてしまうような形をとるのではなく、**試行錯誤しながら少しずつガイドラインを充実させて、ルールを整えていく**ことになると思います。

ここで挙げたような大手のプラットフォームが決めた方針に、今後、他社も追従していくような流れになるんでしょうか？

いずれもまだ運用が始まったばかりの段階なので、今後変わっていく部分は大きいかもしれませんが、大手のプラットフォーマーがどんなルールを作るのかは業界のスタンダードを決めていくうえで大きな影響力を持つでしょうね。

議論の先にどんな時代が訪れる？

棲み分けを模索しているプラットフォームもありますが、やはり、どうしても画像生成AIの作品は受け入れられないという人もいそうです。

当然、そういう人はいるでしょう。でも、いずれは**AIで生成した画像に触れずに生活することが難しくなるくらい、一般的なものになっていくはず**ですよ。

その場合に、どんなことが起きると考えられますか？

画像生成AIの精度が向上すれば、**より人間が描いたものに近い絵を作れるようになる**と思います。そうなると、コンクールの入賞作品にAIで作った絵が入るといったこともたくさん出てくると思います。

AIでそのレベルの絵が作れるようになればすごいですが、「AIを使ったものは選考から外すべきだ」といった声も挙がりそうです。

批判を浴びることももちろんあるでしょうし、さまざまな議論が生まれると思います。ただ、その時期が過ぎれば、**「新しい絵筆」として定着する時代が訪れる**と思います。

時間をかけて徐々に世の中に受け入れられていくという感じですね。

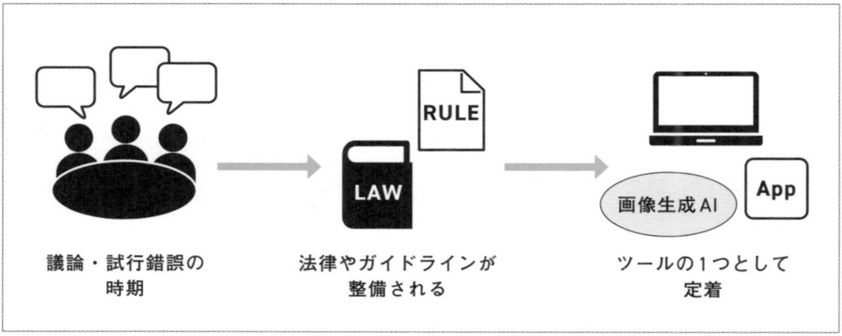

4-11-4 試行錯誤や議論をしながらルール作りを進めていく時期を経て、PCなどと同じツールとして扱われる時代が訪れる

重要なことは、**サービス事業者はもちろん、利用者である私たちユーザーもこのツールをどのように使っていくべきなのかについて考えや意見を持って行動する**ことだと思います。そしてそうなったときには、最初にお話しした通り、生成物に著作権をどこまで認めるかについても見直す必要が出てくると思います（4-4参照）。

プラットフォーム側での方針やルール作りと、法的な問題の両輪で、環境を整えながら、しばらくは過渡期として試行錯誤をしたり、議論をしたりしていく時期が続くということですね。

Chapter4 12

今後必要なルールメイクは？

画像生成AIが今後広く使われるようになっていくにあたっては、法律を含めたルールの整備も必要になります。どんなルールメイクが必要なのか、海外ではどのような動向があるのかなどを知っておきましょう。

どんな整備が求められている？

ここまでのお話をうかがって、画像生成AIは今後ビジネスでも広く活用されていくものになりそうだと感じています。その場合に、**法的な部分を含めたルール整備では何が必要**になりますか？

画像生成AIはまだ新しいものなので、把握できていない未知の論点がたくさん出てくると思いますが、少なくとも、**どの程度の創作的寄与があった場合にAI生成物に著作権を認めるのか（認めないのか）（4-4参照）、既存作品を学習していることをもって著作権法上の依拠性があるとみなすのかの問題（4-6参照）**などの論点は、ある程度明確にすることが求められてくると思います。

それは、具体的にどう整備していくことになりそうですか？

法改正や裁判所の判断には時間がかかってしまうし、結論が変な方向にいってしまう懸念もあります。ステークホルダーであるサービス提供者や利用者が、既存のアーティストやクリエーターも納得しやすいサービスとして運用していくことが理想的です。

画像生成AIを普及させるという観点に立って、「問題がない」という立場で一気に推し進めてしまうこともできてしまいそうですが、そういった形ではなく、**サービスを提供するプレイヤーと利用者、そして絵を描いているクリエイターのいずれもが、できるだけ納得できる形を模索する**ほうがよいということですね。

4-12-1 サービスの提供元、利用者、クリエイターのいずれの立場からも、できる限り納得できる形を模索する必要がある

AIで作った画像を識別できるルールは必要？

それ以外では、どんなルールづくりが必要ですか？

トラブルを防ぐという意味では、**AIが作ったものと人が作ったものとを切り分けるようなルール**は、ある程度必要になってくるかもしれません。

法律で制約を設けるようなイメージでしょうか？

法律によって整備されるのか、あるいはSNSやイラスト投稿サイトなどのプラットフォーム側で自主的なガイドラインやフィルタリング機能を設けるのかは今後議論の余地があると思います。

でも、あまり縛りすぎてしまっても、**画像生成AIを活用しづらくなりそう**ですよね。

たとえばSNSなどで、広告を広告だと明示せずに通常の投稿を装って出せば炎上しますし、そのような広告の仕方は規制を強める方向に動いていますよね。それと似たような流れが起きる可能性はありそうです。

いわゆる**ステルスマーケティングの問題**ですね。それと同じような問題と考えられるということですか？

道義的に適切なあり方を模索するという意味では近いといえるかもしれません。広告の投稿には広告だとわかる表記が必要とされてきているように、AIで作った画像も何らかの形で識別できるようにする動きが出てくる可能性はあると思います。

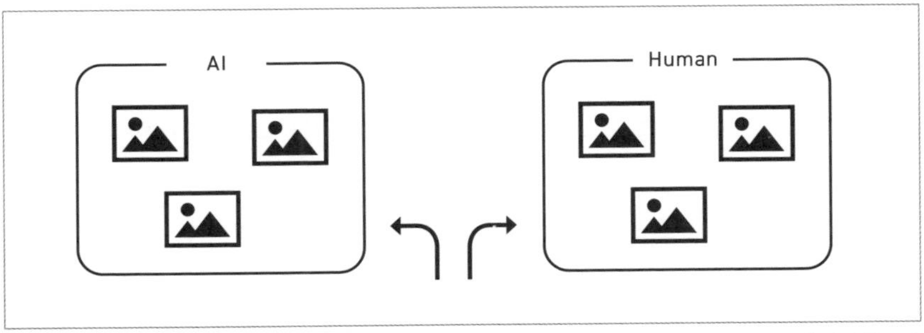

4-12-2 AIで生成した画像と人が描いた絵を、何らかの形で切り分けていく仕組みは今後必要になるかもしれない

海外では、どんな法整備が進んでいる？

ちなみに海外では、AIで生成した画像の扱いはどのようなルールになっているんですか？

中国では、画像を含めたAIで作ったコンテンツに対して、**AI生成物であることを示すマークの表示を義務づけるルール**が2023年1月から導入されました。

そのマークはどんなときに表示が必要になるんですか？

リアルな人間の顔のほか、知的な会話や合成された人間の声、リアルなシーンなどが対象となっています。

混乱を招きそうなコンテンツに対して表示を義務付けたという感じなんですね。

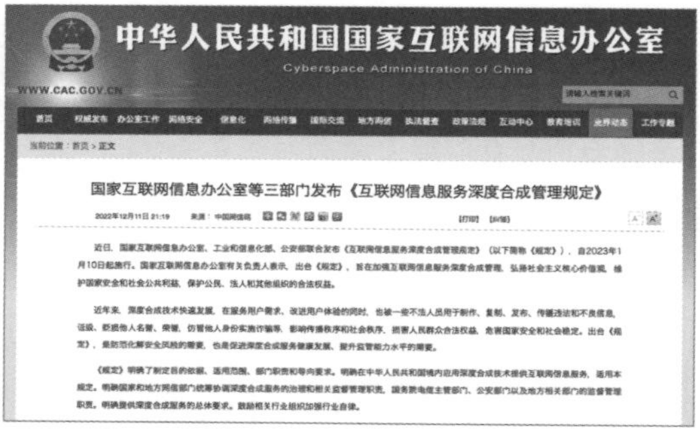

4-12-3 中国では、AIで作った会話や人間の声、シーンなどに対して表示を義務づけるルールを導入している
http://www.cac.gov.cn/2022-12/11/c_1672221949318230.htm

そのほかにも、画像生成AIとは直接関係ありませんが、アメリカの一部の州がデジタルレプリカやディープフェイクに関する一定の規制を設ける形で規制が入り始めていますね。

ディープフェイクは悪意をもって作られたものも多く、AI生成物だと見極められなかった場合に大きな混乱を招く可能性が高いので、一定の規制が必要なのかもしれません。

そうですね。ただ、**何をどこまで規制するかは、今後日本でも議論が必要**になっていくでしょうね。

EUでは「AI規則案」も施行予定

AIに関する海外の法的な動きでもうひとつ知っておきたいのが、EUで2024年から施行が予定されている**「AI規則案」という法律**です。

どんな法律なんですか？

画像生成AIに限ったものではなく、**AI全般の活用についてのルール**になります。AIサービスの提供者などに対して一定の透明性や説明責任を課す内容で、AI開発の実務の面で、今後さまざまな影響が生まれるのではないかといわれています。

そのルールは、日本でAIに関するサービスを提供している事業者にも影響してくるものなのでしょうか？

今のところ、GDPR（個人情報などの取り扱いに関するEUの法令）と同様に、**EU域内に事業者の拠点がなくても、サービスやアウトプットがEU域内で利用される場合には、広く域外適用されることになりそう**だといわれています。違反した場合には巨額の制裁金が課せられる可能性があるので、事業者にとっては今後注意が必要なものになりますね。

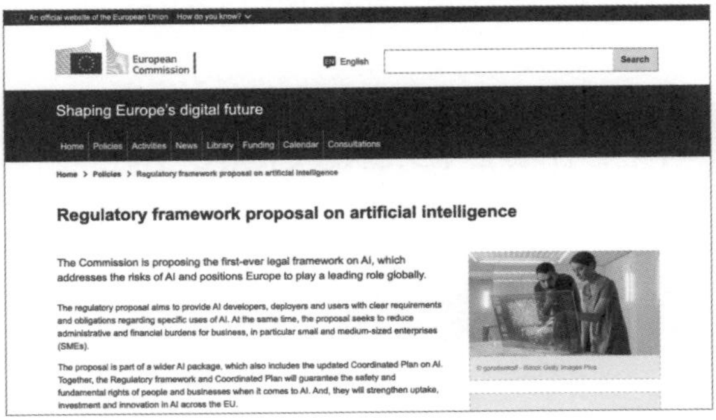

4-12-4 EUでは、AIを活用するためのルールを定めた「AI規則案」の導入を進めている。事業者には一定の説明責任などが課せられる
https://digital-strategy.ec.europa.eu/en/policies/regulatory-framework-ai

画像生成AIを含めたAIを活用したサービスはまだ新しい分野だからこそ、海外の動向も注視したうえで、今後さまざまな面で議論を進めていくことが不可欠ですね。

column

知っておきたい「CC0」について

本章では、画像生成AIで作った画像に対して著作権が認められるケースが生じる可能性があると解説しましたが、これには例外もあります。DreamStudioの利用規約には、ユーザーが生成した画像は「CC0」（シーシーゼロ）の条件に従うことが規定されています。CC0は、クリエイティブ・コモンズという国際的な非営利団体が提供する著作権に関する意思表示のためのツールの１つで、著作物に関する著作権など一切の権利を放棄し、パブリックドメインとして自由に利用してよいという意思表示するためのものです。

CC0となった作品は、著作権などすべての権利を放棄することになり、作成者自身はいかなる権利も保有したり、主張したりできません。そして、その作品は誰でも自由に利用したり改変したりが可能になります。

CC0となった作品でも、作成者自身がビジネスで利用することは可能ですが、もし、自身で著作権を持った状態で使用したいという場合は、ほかの画像生成AIサービスを使うなどの選択が必要になるでしょう。

4-C-1 作品がCC0であることを示すマーク。DreamStudioで生成した画像は、利用規約によりすべてCC0となる

Chapter

5

画像生成AIの未来

画像生成AIは、これからどうなるの？

今後はさらに広く使われるようになる

2022年に一気に一般に普及した画像生成AI。ここまでは、画像生成AIの強みや、世の中にもたらす変化、現状の課題などについて見てきました。一般の手に渡るようになってからまださほど時間の経っていない新しいツールだけに、今はまだ、性能面でもルールメイクなどの面でも発展途上です。この先、精度や使い勝手がさらに進化したり、今より費用を抑えて利用できるようになったりすれば、より広い用途で画像生成AIで作られた画像が使われるようになっていくでしょう。そしてそのときには、さまざまな恩恵を得られると同時に、新たな課題が生まれる可能性もあります。第5章では、そんな画像生成を含めたAIの今後について考えます。

AIと一緒に働くのが当たり前の時代に!?

画像生成以外のクリエイティブ分野のAIもこれから普及していくことが予想できます。たとえば、文章を扱うAIは、既存の資料を要約するといった使い方であれば、ビジネスでの活用が可能なレベルに到達しはじめています。

将来的には、さまざまなアプリケーションを音声だけで操作できるようになったり、さらにその先には、さまざまな作業をこなすことのできる疑似人格のようなAIが生まれてきたりする可能性もあります。AIがそこまで発展したときに、私たちはどのようにAIと共存していけばよいのでしょうか？ 本章では、そんなAIがもたらす未来を予測するとともに、そのような時代が訪れたとき、どんな考え方やスキルが必要となるかについても触れています。

たとえば、手間のかかる仕事を、指示さえ出せば即座にこなしてくれる部下や、こまごまとした事務作業を着実に進めてくれる秘書が、24時間自分の近くにいたらと想像してみてください。今とはまったく違う働き方や暮らし方を実現できそうではないでしょうか？ これが、AIがより多くのことをこなせるようになった世界のイメージです。

ただし、AIに的確な指示を出せることや、AIによって作られたものを使うかどうかといった判断を下すことは人間が行うプロセスです。どれほどAIが発展しても、それを効果的に使いこなせなければ、恩恵を受けることもできません。そのような意味で、AIを使いこなすスキルが、その人のビジネススキルに直結するような時代も訪れるのかもしれません。

AIをはじめとしたテクノロジーをとりまく環境は、すさまじいスピード感で日々進化を続けています。AIを利用する私たちも、その変化に対応するために知識や価値観のアップデートを続けることが必要になっているのです。

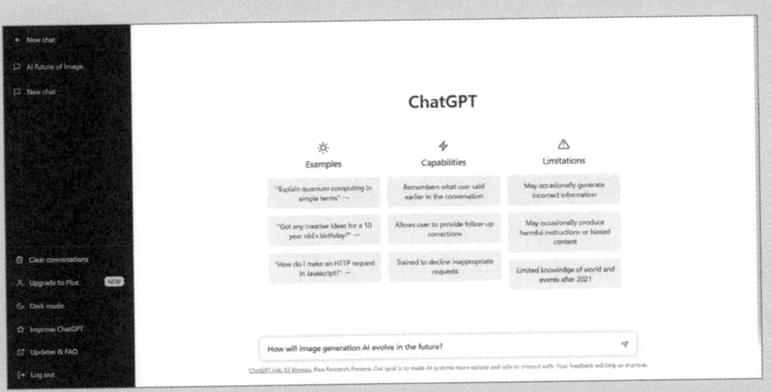

5-0-1 文章を扱うAIは、既存の文章を要約するといった用途であれば、業務で使えるレベルになってきた（画面はChatGPT）

Chapter5

1 画像生成AIは今後どう進化していく？

画像生成AIはこの先どんな進化をとげていくのでしょうか？ そして、その結果としてビジネスでの使われ方はどう変わる可能性があるのでしょう？ 今後の予測を深津さんにお聞きしました。

精度や指示の方法、価格などが進化

画像生成AIは、これからもっと進化していくのではないかと思います。具体的に、どんな変化が起きると予測できますか？

まず、**生成される画像の精度が大きく上がる**と考えられます。そうなると、**画像生成AIで作った絵そのものが商品となる**時代も来るでしょうね。

今の画像生成AIは細部の描写が得意でないため、人が描いた絵の背景に画像生成AIで出力した風景を使ったり、人が描く絵の構図などのアイデアを得たりといった使い方がまずは中心になるということでしたね。細部まで**高精度な絵が描けるようになれば、AIで生成した絵がそのままメインの絵として使える**ということですね。

それと同時に、プロンプトを含めた命令のしかたも進化すると思います。生成された絵に対して、「髪をあと2センチ長く」「さらに口角の上がった笑顔に」といった、**対話型の指示ができるようになるかもしれません**。

そこまで細かい指定ができれば、人に対して指示しているのに近い感覚になりそうですね。

そうですね。人に対してディレクションするのと同じように、AIのディレクションを行うようになっていくと思います。

5-1-1 人に対して指示を出すような感覚で、AIの生成結果により細かい調整を加えることも可能になるかもしれない

ほかにはどんな変化が考えられますか？

価格方向での進化も期待できますね。利用料金が下がり、画像1枚を生成するのに必要なコストが抑えられるようになれば、画像生成AIを使う産業分野や利用の規模が一気に広がると思います。

今までよりふんだんに、AIで生成した画像を使えるようになるというイメージですか？

そうですね。たとえば、これまで30ページに1枚の割合で挿絵を入れていた小説があるとしたら、AIで生成した絵を使うことで全ページに挿絵を入れることが可能になるかもしれません。

そこまで進化すると、たとえば企業が自社のイメージキャラクターを作るといった場合に、**人間がディレクションしながら基本的にすべてAIで作るといったことも可能**になるんでしょうか？

そういった使い方も出てくるでしょうね。

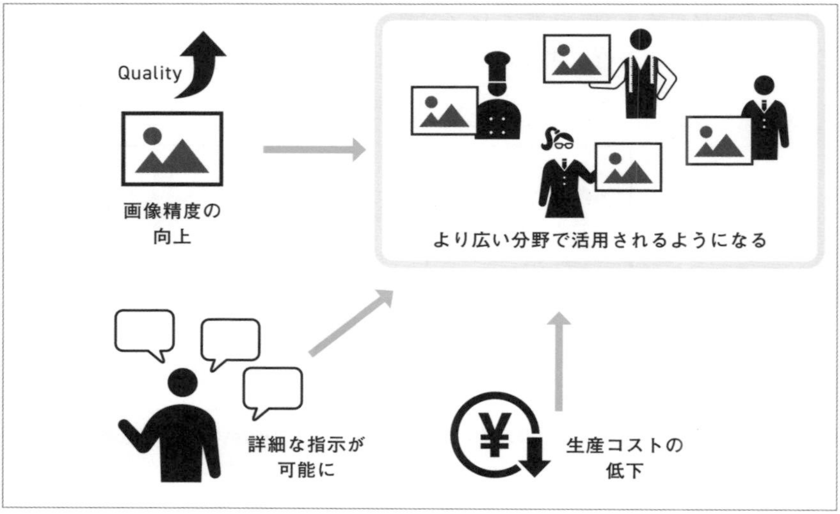

5-1-2 精度が向上し、より細かい指示が可能になり、さらに価格が下がることでより広い分野で活用できるようになる可能性がある

新たに生まれる可能性のある課題は？

画像生成AIが今より進化して使われる分野も広がっていくと、それにともなって**新たなリスク**も生まれてくるのではと思います。考えられる課題としては、どんなものがありますか？

イラスト制作などの既存の産業に対してどこまでインパクトを与えるものになるかがまだ完全に見えているわけではありません。この点では、今後いろいろな課題が出てくるかもしれませんね。

共存していける可能性があるとはいえ、実際にどのくらいの影響をおよぼすのかは、まだわからないという感じですね。**もし既存の業界への影響が大きいとわかれば、反発が大きくなるかもしれません。**

あとは、より高精度な画像が生成できるようになることで、**フェイクニュースなどに使われた場合に今以上に見分けるのが難しくなる可能性**があるかもしれません。

AIで作られた画像を見分けるAIも出てきているとのことでしたよね（3-6参照）。そちらの進化に期待したいです。

既存産業に
与える影響が
未知数
画像生成AI
精度向上で
偽画像の識別が
困難に

5-1-3 既存産業にどの程度の影響を与えるのかが見えていないこと、高精度化によって、偽画像の識別が難しくなることなどが課題

もうひとつ懸念されることとして、AIの学習データの**偏りの拡大**があります。

AIの学習したデータには偏りがあるということでしたが（2-5、4-8参照）、それが今より大きくなるという意味ですか？ それはなぜでしょう？

画像生成AIが使われる機会が増え、**偏りのあるデータから生成された画像の量が増えると、AIがそれらの画像を学習し、偏りがさらに大きくなってしまう**可能性があるんです。

悪循環が起きてしまうんですね。それを防ぐには、画像を生成する人たちが、**学習データの偏りをできるだけ反映させないようにプロンプトを入力**するなど理解と配慮が必要ですね。

その通りです。以前にもお話ししたように（2-5参照）、画像生成AIを使う側がデータには偏りがあることを理解して、その偏りが生成結果にできるだけ現れないようにしていく必要があります。

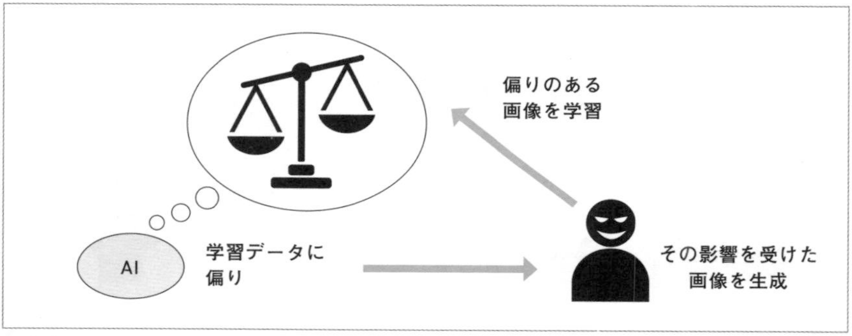

5-1-4 偏った学習データから生成された画像をAIが学習することで、データの偏りがさらに拡大してしまうリスクがある

画像生成はAIを取り入れやすい分野

いろいろと懸念される部分もあるとはいえ、画像生成AIは、**産業におけるAI活用の中では、比較的導入しやすく広がりやすい**分野だと思いますよ。

それはなぜですか？

とても大ざっぱな言い方をすると、**人命にかかわるような責任を取る必要のない分野**だからということになります。

ほかの分野だと、もっと責任が大きくなるということですか？

そうですね。たとえば、医療の手術を行うAIや車の運転をするAIなどは、トラブルが起きると人命にかかわる問題となります。また、弁護士に代わって何かしらの判断を行うといったAIも、間違った場合のリスクが大きいですよね。

たしかにそうですね。画像生成にも著作権侵害などの一定のリスクはあるとはいえ、人がフォローすることである程度対応できますもんね。

AIが大きな責任を負わなければならない分野での活用は、まだまだ難易度が高いと思います。一方で、画像生成AIが担っているようなクリエイティブの分野はリスクが比較的低いので、そういった意味でも伸びやすい分野だと思いますよ。

そう考えると、たしかにすぐに人命に関わるような重大なリスクは起きづらいかもしれません。この先画像生成AIが進化し、精度や使い勝手が向上することで、これまで以上に広い範囲で使われるようになることに期待したいです。

5-1-5 課題はあるとはいえ、画像生成はAIを使うことのリスクが比較的低い分野。それゆえ今後の伸びも期待できる

Chapter5
2 ほかのクリエイティブ分野でのAI活用の可能性は?

AIを活用できるクリエイティブ分野は、画像生成だけではありません。文章を扱うAIなど、ほかのクリエイティブ分野でのAI活用の可能性や、将来的にどのような形になっていくのかの予測を聞きました。

画像生成以外でも、AIが活躍する?

画像を作るという分野以外でも、今後はクリエイティブな作業にAIがより使われるようになっていくんでしょうか?

もちろん使われていきますし、どんどん進化していくと思いますよ。画像生成AIと同じで、使える人ほど有利になるでしょうね。

ちなみに画像生成以外の分野のAIで、深津さんが注目しているものは何ですか?

文章を扱うAIですね。結局、**文章を判断するAIの性能が、画像生成AIをはじめとしたすべてのAIの性能を決める**ことになるんです。

画像生成AIも、プロンプトが正しく理解されなければ正確な絵は出せないですもんね。

そうですね。**文章認識のAIの精度が上がれば、画像生成AIの精度も上がっていく**ということになります。

文章を扱うことをメインにしたAIツールが、画像生成AIと同じようにビジネスなどで使われるようになる可能性もありますか?

そうですね。2022年11月30日に公開となった文章生成AIサービス「ChatGPT」はすでに大きな話題になっています。ただし、現時点では、ゼロから文章を作り出そうとすると内容が間違っていたり、十分とはいえない結果になったりすることも多いので、文章生成を、コンテンツ産業のアウトプットとして直接使うのは難しいかもしれません。

新たに文章を作り出すのは、まだこれからの部分ということですね。どんな使い方なら、うまく活用できるんでしょうか？

何もないところから文章を作るのではなく、人が作った文章をもとに作業するようなものであれば、比較的高い精度で行えます。たとえば、**人が作った文章を資料として与えて、それを短く要約する**といったものですね。

文章の生成や要約を行えるAIには、チャット形式でさまざまな指示が可能な「ChatGPT」や、キャッチコピーの作成などに対応する「Catchy」、小説作成向けの「AIのべりすと」などがある。

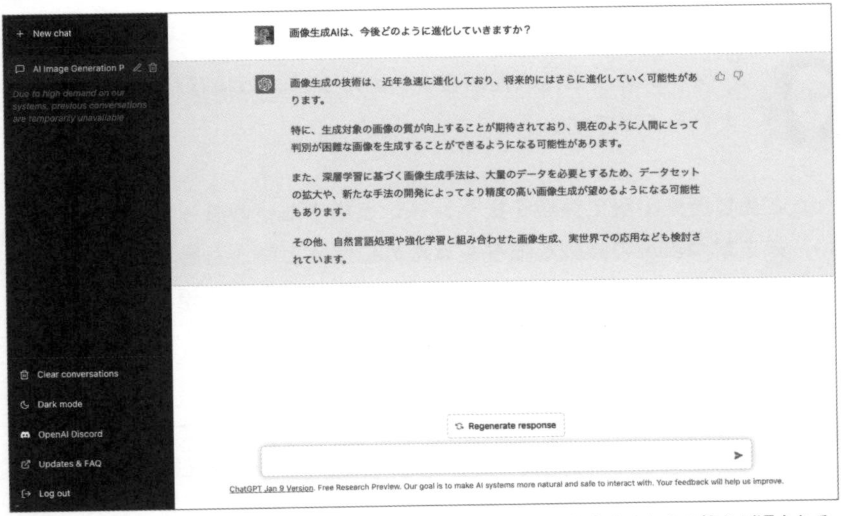

5-2-1 文章生成AIの「ChatGPT」の画面。チャット形式で質問を入力するとその答えが返される。連続したやりとりも可能

画像生成AIと同じで、AIにすべてを任せるのではなく、**人の作業の助けとなるツール**として使っていくイメージですね。要約などの用途ならビジネスでも活用シーンが多そうです。

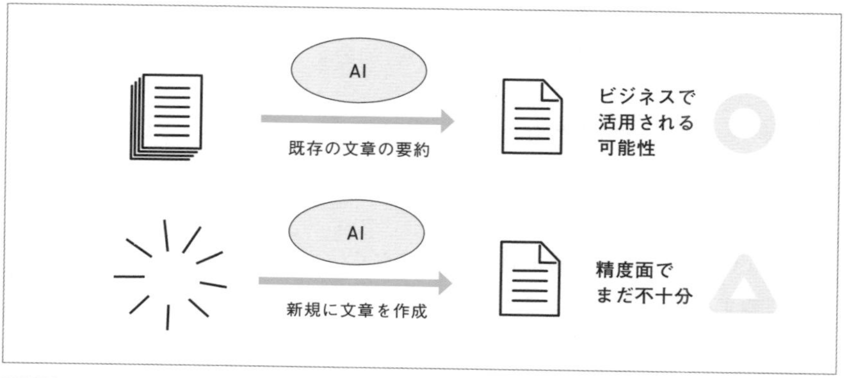

5-2-2 文章を扱うAIは、新しい文章を作る用途ではなく、既存の資料の要約などでまず活用が期待できる

ちょっとユニークな使い方として、**小説を書くときに特定の分野のリアルな描写を作ってもらう**、なんていうことが可能かもしれません。

メインの文章は人間が書き、あるシーンの描写だけをAIで書くということですか？

たとえば歴史小説で鉄砲を扱うシーンを描きたいと思ったときに、銃を撃つ表現の詳細を描写するために使うといった感じですね。当時の鉄砲に詳しくない人でも、リアルで文学的な表現で描写できるようになると思います。

なるほど。車を運転したことのない人が運転シーンを書くとか、やったことのないスポーツについて書くとか、使えるケースはとても多そうです。

5-2-3 小説を書くときに、経験したことのない事柄についてリアルで細かい描写をしたい場合にAIを活用できる

あらゆる操作を音声で行えるようになる!?

画像生成AIが今後より広く活用され、さらに文章を扱うAIも使われるようになってくるとなれば、仕事のあり方も大きく変化しそうです。

比較的すぐに起こりそうな変化として、あと数年経てば、現在**スマホやPCを通して行っているいろいろな作業が、音声操作だけで行えるようになるかもしれませんね。**

今もスマホに搭載されているSiriやGoogleアシスタントのようなAIアシスタントは音声で操作できますが、それがより進化するというイメージですか？

そうですね。あらゆるアプリケーションが音声で操作できるくらいまで進化するのではないかと思っています。

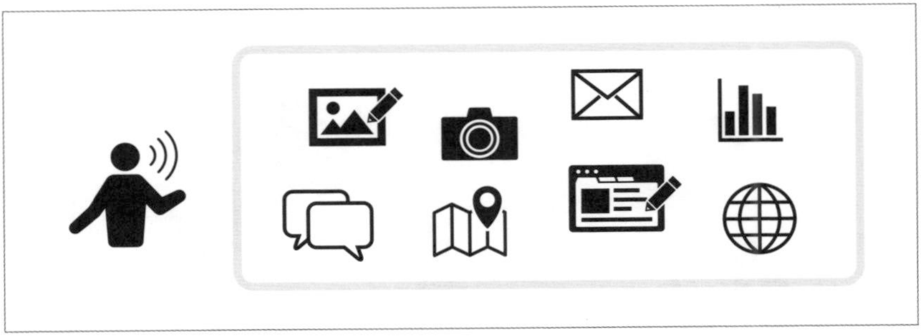

5-2-4 今後は、さまざまなアプリケーションの操作を音声だけで行えるようになるといった進化も期待できる

そうなると、画像生成AIも今のようなテキストのプロンプトではなく、音声で大ざっぱな指示をするだけで出力できるようになったりするのでしょうか？

その可能性は高いと思いますよ。

AIによる「疑似人格」が活躍する時代に!?

そこからさらに進化した先には、一体どんな世界が広がるのでしょうか？

インターネット上で活動する**擬似人格**のような存在が増えていくかもしれませんよ。

疑似人格ですか⁉ 何をしてくれるんでしょう？

絵も文章も作れるし、書類を作成してメールで送ることもできるし、SNSの運用もできる、といった感じですね。要するに、**秘書のようなことができるAI**がどんどん生まれてくるということです。

特定の作業だけでなく、いろいろな仕事をすべてこなせるAIということでしょうか？

そうですね。たとえば、「○○社宛てに請求書を作って、担当の○○さんにメールで送る」「YouTubeの台本を書き、AIでデザインしたキャラクターの姿でYouTubeに出演し、そこに寄せられた問い合わせにも回答する」といったこともできるようになるかもしれません。

そこまでAIでできるようになったら、本当に人間と一緒に働く存在のようになっていきそうですね。

そうですね。そうなったときには、**人間がそのAIに適切な指示を出すこともより重要**になるので、あとで詳しくお話ししますね。

まず起こる変化として、文章生成AIが資料の要約などの分野から活用されるようになり、さまざまなアプリケーションを音声で操作できるようになる時代が訪れ、その先にはあらゆることに対応するAIが登場してくる。進化に置いていかれないようにしなければならないですね。

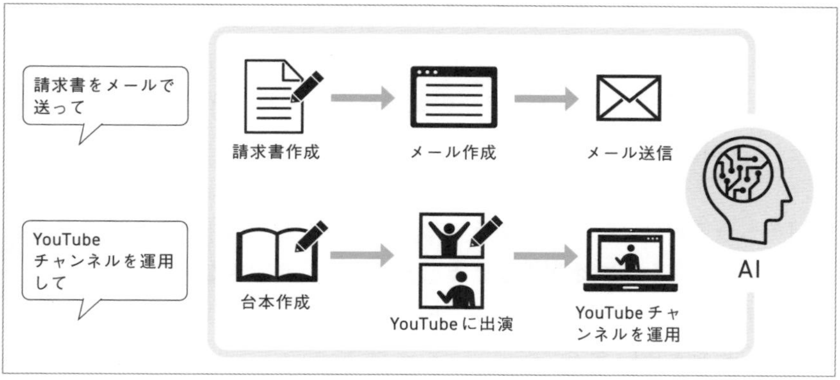

5-2-5 将来的には、あらゆる作業をこなせる疑似人格のようなAIが仕事をサポートしてくれるようになる可能性も

Chapter5
3 クリエイターは画像生成AIとどう共存していけばいい？

画像生成AIが高度化していくことを不安に感じたり、画像生成AIが自身の競合になってしまうことを懸念したりしているクリエイターもいるかもしれません。共存のためには何が必要なのでしょうか？

画像生成AIと共存していくために必要なスキルは？

この先画像生成AIがどんどん進化していく中で、やはり、**自分の仕事がAIに奪われるのではないかという不安**はつきまとうのではないかと思います。

具体的に、どんな部分を懸念していますか？

現状では、あくまでもクリエイターの仕事を助けるツールのような位置づけだと思いますが、今後さらに進化したときに、画像生成AIが人間のクリエイターの競合になってしまう可能性も出てくるんじゃないでしょうか？

何をもって競合と呼ぶかによるでしょうね。たとえば、**人の創造性を使って、美しい絵を描き上げることは人にしかできない**ことです。そのプロセスで画像生成AIを使ったとしても、それはあくまでもツールだと思います。

たしかに、その人が持つ創造性をいかに発揮するかという部分に重点を置けば、画像生成AIと競合するという状況は避けることができそうですね。

一方で、単に見栄えのする、**きれいな画像が出力したいだけというニーズにおいては、画像生成AIが人間のライバルになってくる状況も起きるかもしれません。**

創造性は必要ないから、パッと見できれいな画像を作りたいといったケースですね。そこを意識することで、棲み分けはしやすくなりそうです。

あとは、自分が画像生成AIの**アートディレクター**のようになる方法もあると思います。

画像を作る作業自体はAIに任せることにして、自分は画像生成AIに命令する側になるということですか？

絵を作ること自体はAIでできても、その**方向性を決めて指示を出し、生成結果をどう扱うかを決めるのはあくまでも人間**なので、そこのスキルを磨いていくという感じですね。複数メディアを連携したアウトプットやある食べ物の食レポの絵のように、現実世界の経験と不可分なもの、○○さんが作ったという物語性が重要なものなんかもAIでは再現できない領域です。

人間にしかできないこと、人間だからこそできることは何かを考え、そこの部分を意識して強化していくことで、画像生成AIが進化してもうまく共存していける可能性があるということですね。

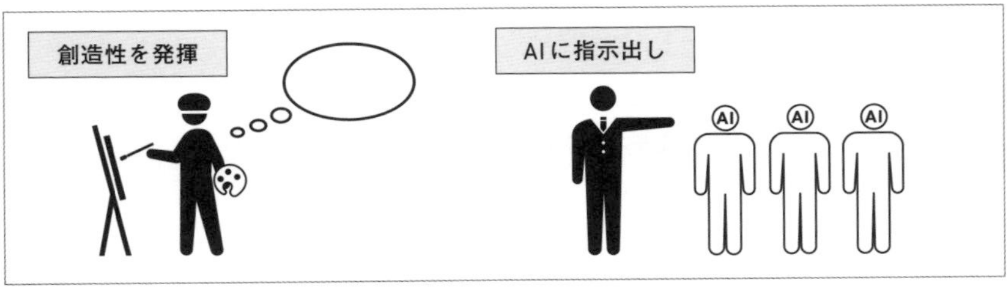

5-3-1 人の創造性を発揮した絵を描くことや、画像生成AIに対してアートディレクション的なことを行うような仕事なら共存できる可能性が高い

Chapter5

4 ビジネスパーソンがAIと上手に付き合うには？

画像生成AIに限らず、さまざまな分野でAIが進化していくことで、世の中が大きく変わっていきそうです。ビジネスパーソンがAIと上手に付き合っていくためには、何が必要なのでしょうか？

皆が「10人の部下と秘書」を持つようなもの

ここまでのお話をうかがってきて、AIの発展で世の中がもっと便利で豊かになっていくことにワクワクしていますが、一方でAIの進化に不安を感じているという声も耳にします。

もちろん、**よいことも悪いことも今後いろいろ起きてくる**と思いますよ。

この先、ビジネスパーソンがAIとうまく付き合っていくためにはどうしたらいいんでしょうか？

ある程度のルールメイクが進み、将来的に、AIが十分に進化したとき何が起きるかというと、**すべての人が秘書と部下を10人ずつ持ったのと同じ状況**になるんです。

それはすごい世界ですね。自分専用のプロジェクトチームのリーダーになるような感じですね。

すべての人に秘書と部下が10人いて、いろいろなことをお願いしながらプロジェクトを進められるようになるので、**社会全体の生産性が向上し、できることは大きく広がる**と思います。

たしかに使い方によっては爆発的に効率が上がりそうです。でも、そんなにたくさん秘書や部下がいても、うまく指示を出せないという人もいるんじゃないですか？

そういう人にとっては、周囲と大きく差がついてしまったり取り残されてしまったりする可能性がありますね。

せっかくの技術の進化が、他人と差をつけられてしまう原因にならないように、自分自身がしっかり対応していく必要があるということですね。

5-4-1 すべての人が、AIの部下とAIの秘書を10人ずつ持つような状態となり、効率や生産性が大きく向上する可能性がある

ただし、**悪いことをしようと考えている人も、同じように秘書と部下を10人持つことになる**ので当然そのリスクも生じることになると思います。

今までは1人の悪人だった人が、AIの部下たちによって悪事のプロジェクトチームと化してしまう可能性もあるということですか！それはちょっと怖いですね……。

そうですね。よいことも悪いことも、現在の数倍の規模に拡張された世界になると思います。

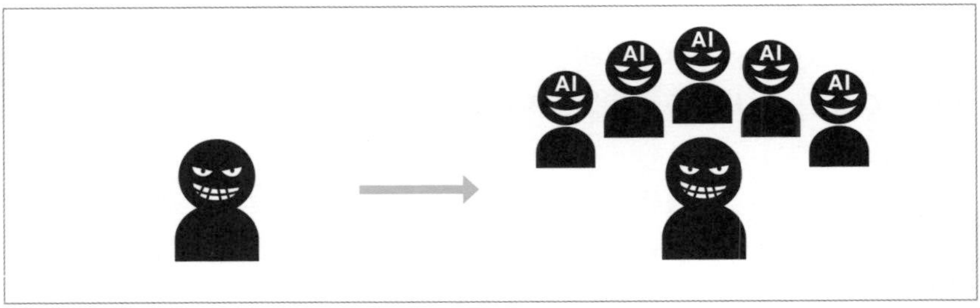

5-4-2 犯罪行為などの悪事にも使われる可能性がある。よいことも悪いことも現在より規模が大きくなるイメージ

意思決定能力と判断能力が必須に

そういった時代が訪れたときに、取り残されることなくAIをうまく活用していくためには、どんなことが必要になりますか？

まず求められるのが、**AIに何をさせればいいのかを決定できる意思決定能力**です。

たしかに、どれだけAIの部下が増えても、そこに指示を出すのは人ですもんね。

そして、もう1つ必要となるのが、**AIが出してきたアウトプットに対して、それでOKなのか、それともNGなのか、あるいはどこか修正が必要なのかといったジャッジを行う判断能力**です。

これも正しい判断ができなければ、せっかくAIを使った意味がなくなってしまいますね。

意思決定をして命令する、そしてその結果を評価すること。その能力が人間にとって重要なものになっていくと思います。

これまで、仕事でマネジメント層ではなかった人にも意思決定や評価といったマネジメント的な能力が求められるなど、従来とは違った能力やスキルが必要となる機会も増えそうですね。

今後「副部長」や「アシスタントリーダー」のような中堅を担うAIが出てくる可能性もありますが、いずれにしろ**AIとしっかりコミュニケーションをとる能力が必要**になるはずです。

進化しつづけるAIを仕事にうまく取り入れることで、今まででは考えられなかった大きな成果を出せるようになるということでもありますね。しっかりついていけるように、自分自身のアップデートを続けなければと思いました。

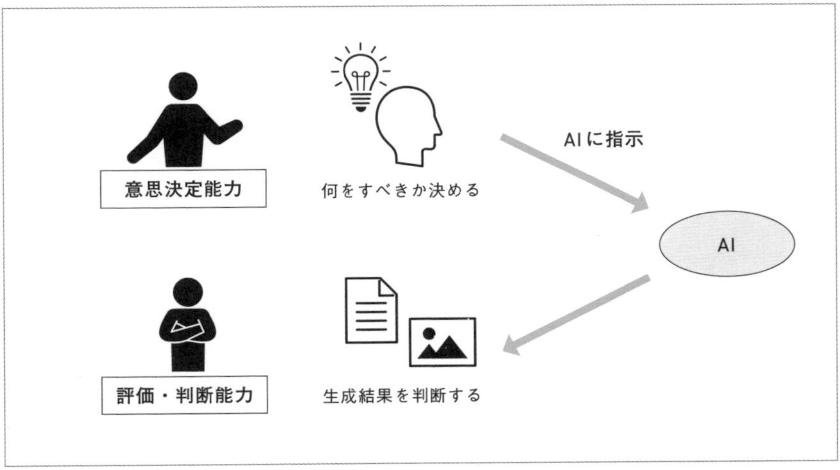

5-4-3 AIに指示をして仕事を進める時代には、意思決定をする能力や、その結果を評価する能力が人間に求められるようになる

column

デザインを評価するAIもある

人が作ったものをブラッシュアップするAIサービスもあります。株式会社プラグが展開する「パッケージデザインAI」では、ユーザーが商品カテゴリーを選び、デザイン案の画像をアップロードすると、AIがパッケージデザインのバリエーションを大量に生成。その結果を評価して、消費者にどのくらい好まれるかの「好意度」順に並べ替えたり、パッケージから連想される単語を予測したりといったことが可能です。画像生成AIとは仕組みは違いますが、これもクリエイティブ作業にAIを活用する例の1つといえます。

すべてをAIに任せるのではなく、人が得意とする創造性に、AIが得意とするバリエーションの生成や分析といった部分を組み合わせるという意味では、クリエイターとAIの共存の1つの形ともいえるのかもしれません。

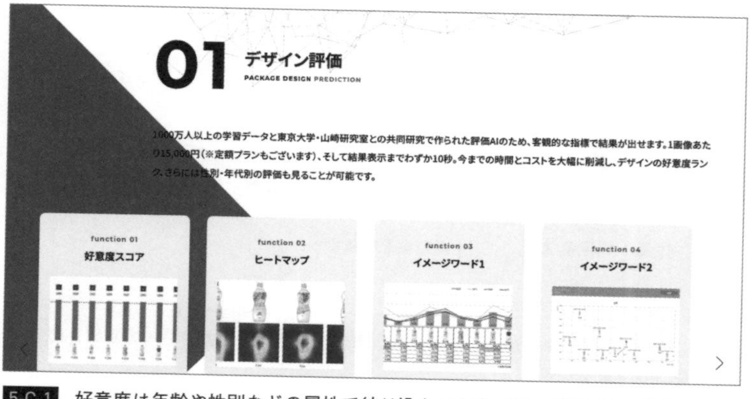

5-C-1 好意度は年齢や性別などの属性で絞り込むことも可能。デザインの評価にかける時間やコストを大幅に削減できる
パッケージデザインAI　https://hp.package-ai.jp/

おわりに

本書を手にとって、ご覧いただき、ありがとうございました。
「はじめに」で深津さんも書かれている通り、生成AI技術や分野の進展は文字通り日進月歩です。すでにChatGPTなどの文章生成AIも注目を集めていますが、今後、音声生成AI、映像生成AIなど、さまざまな生成AIがビジネスや生活のあらゆる場面で活用されていくでしょう。本書がわずかでも読者の皆様にとって有益な情報を提供できたこと、そして本書をきっかけに読者の皆様が生成AIをビジネスの現場で活用していただけることを願っています。

執筆にあたっては画像生成AIの動向についてわかりやすく解説することを心がけました。私が担当した第4章の著作権や利用規約・契約に関する記載は少し難しく感じられたかもしれませんが、画像生成AIのみならず、生成AIを含むAI全般に通用する知識になっていると思います。

今後、生成AIが社会に与える影響が増せば増すほど、生成AIのルールに関する議論も出てくるでしょう。私個人は生成AIを新しい「知の自転車」(by スティーブ・ジョブス)と捉えていますが、この新しいテクノロジーを活かすも殺すも私たち次第です。生成AIに開発者、事業者、利用者、アーティストやクリエイター、いずれの立場で関わるとしても、このテクノロジーを実際に触って、活用してみて、自分なりの意見を持ち、それを発信していくことが、この新しいテクノロジーのあるべきルールにとって大切だと思います。

最後に、本書の執筆に誘ってくださった深津貴之さん、正確なライティングで支えてくださった酒井麻里子さん、編集を担当してくださった編集部の皆様、そのほかご協力いただいた方々に感謝申し上げます。ありがとうございました。

水野祐 with ChatGPT

INDEX

著者プロフィール

深津貴之（ふかつ たかゆき）

インタラクションデザイナー。株式会社thaを経て、Flashコミュニティで活躍。2009年の独立以降は活動の中心をスマートフォンアプリのUI設計に移し、株式会社Art&Mobile、クリエイティブファームTHE GUILDを設立。執筆、講演などでも精力的に活動。

水野 祐（みずの たすく）

弁護士（シティライツ法律事務所）。Creative Commons Japan理事。Arts and Law理事。九州大学グローバルイノベーションセンター（GIC）客員教授。グッドデザイン賞審査委員。テック、クリエイティブ、都市・地域活性化分野のスタートアップから大企業、公的機関まで、新規事業、経営戦略等に関するハンズオンのリーガルサービスを提供している。著作に『法のデザイン －創造性とイノベーションは法によって加速する』（フィルムアート社）、連載に『新しい社会契約（あるいはそれに代わる何か）』（WIRED JAPAN）など。

酒井麻里子（さかい まりこ）

ITライター。企業のDXやデジタル活用、働き方改革などに関する取材や、経営者・技術者へのインタビュー、技術解説記事、スマホ・ガジェット等のレビュー記事などを執筆。
メタバース・XRのビジネスや教育、地方創生といった分野での活用に可能性を感じ、2021年8月よりWEBマガジン『Zat's VR』(https://vr-comm.jp/) を運営。メタバースに関するニュースや、展示会・イベントレポート、ツールの解説やレビューなどを発信。
Yahoo! ニュース公式コメンテーター（IT分野）。株式会社ウレルブン代表。Twitter（@sakaicat）では、デジタル関連の気になった話題や役立つ情報などを発信。

スタッフ

ブックデザイン	山之口正和＋齋藤友貴（OKIKATA）
登場人物イラスト	朝野ペコ
制作担当デスク・DTP	柏倉真理子
デザイン制作室	今津幸弘
校正・レビュー	三好大悟
編集	浦上諒子
副編集長	田淵 豪
編集長	藤井貴志

■商品に関する問い合わせ先

このたびは弊社商品をご購入いただきありがとうございます。本書の内容などに関するお問い合わせは、下記のURLまたは二次元バーコードにある問い合わせフォームからお送りください。

https://book.impress.co.jp/info/

上記フォームがご利用いただけない場合のメールでの問い合わせ先
info@impress.co.jp

※お問い合わせの際は、書名、ISBN、お名前、お電話番号、メールアドレス に加えて、「該当するページ」と「具体的なご質問内容」「お使いの動作環境」を必ずご明記ください。なお、本書の範囲を超えるご質問にはお答えできないのでご了承ください。

- ●電話やFAX でのご質問には対応しておりません。また、封書でのお問い合わせは回答までに日数をいただく場合があります。あらかじめご了承ください。
- ●インプレスブックスの本書情報ページ　https://book.impress.co.jp/books/1122101128 では、本書のサポート情報や正誤表・訂正情報などを提供しています。あわせてご確認ください。
- ●本書の奥付に記載されている初版発行日から3年が経過した場合、もしくは本書で紹介している製品やサービスについて提供会社によるサポートが終了した場合はご質問にお答えできない場合があります。

■落丁・乱丁本などの問い合わせ先

FAX　03-6837-5023
service@impress.co.jp
※古書店で購入された商品はお取り替えできません。

先読み！ IT×ビジネス講座

画像生成AI

2023年3月21日　初版発行
2023年7月1日　第1版第4刷発行

著　者　深津貴之　水野 祐　酒井麻里子
発行人　小川 亨
編集人　高橋隆志
発行所　株式会社インプレス
〒101-0051　東京都千代田区神田神保町一丁目105番地
ホームページ　https://book.impress.co.jp/

印刷所　音羽印刷株式会社

ISBN978-4-295-01626-7 C0034
Printed in Japan